U0103178

洪湛侯著

中國文獻學新探

臺灣學生書局印行

自序

是書旣以《中國文獻學新探》命名，對於文獻、文獻學這些基本概念，不能無說，請試論之：從歷史發展看，我國的文獻產生很早，而文獻學一詞的出現却比較遲，這是因爲先秦時期的文獻研究，本來就處在萌芽階段，自漢代以迄清代，從事文獻整理和文獻研究的工作，或者被稱爲校讎，或者被稱爲考據學、國學、或整理國故等等，從來沒有得到過正名。『文獻學』的名稱，近代方始出現，它旣不同於歷史上的經學、樸學，也不同於目錄學、考古學、語言文學。它的確切含義，還正在被人們逐步認識和論定之中。

『文獻』一詞，最早見於《論語・八佾》，鄭玄和朱熹解釋『文』爲文章，『獻』爲賢才或賢。元、明以後，已有人把『文獻』看作書籍資料的代稱。當代學者對文獻的看法也還不大一致，有的認爲文獻包括書本的記載和耆舊的言論，這還是傳統的看法，有的把文獻看作古籍的同義語，認爲文獻就是古籍，這看法也未爲盡當。雖然文獻的主要部份爲古籍，但它還包括了古籍以外的甲骨文、金文、簡牘、碑拓、文書、檔案、信札、契約、手稿等各種形式的文字資料。把文獻局限於古籍，是縮小了文獻的含義。

文獻必須具有歷史價値和科學價値，但決不是凡具有歷史價値和科學價値的東西都是文獻。例如地下出土的古物，遠古人類的骨骼，沒有文字的陶器、銅器、漆器，以及古代遺址、模型、造像、繪畫等等，這些實物，雖然有歷史價値，有的是古器物學、古人類學的研究對象，屬於考古範疇，與文獻有別。把文獻釋作文物，則是擴大了文獻的範圍。

時至今日，由於文獻的內容、形式以及記錄文獻的載體都發生了重大變化，因此又有人主張把文獻區分爲『現代文獻』和『古典文獻』。但不論如何，總應該有一個兩者可以相通的定義。現在是否可以這樣理解：凡是用文字寫成的，具有歷史價值和科學價值的圖書資料，就是『文獻』，對於這些文獻進行整理和研究的一門學科，就是『文獻學』。

自從杭州大學創辦文獻專業以來，我即濫竽其間，開設了文獻學方面的幾門主要課程，結合教學，對文獻學領域中某些素有爭議的問題，撰文進行探索，抒發一得之愚。第以中國文獻歷史的源遠流長，文獻內容之博大精深，文獻範圍之寬廣多門，樗櫟之材，雖竭盡其力猶不足以窺其堂奧。卽有所造述，亦不過作抛磚之試而已。一九八九年冬季，應美國科羅拉多大學東方語言文學系邀請，來美講學，並協助籌建東亞圖書館。工作餘暇，仍繼續研治中國文獻學。東方系美國漢學家何瞻教授前曾訪問過杭州大學，過從有素，今此邂逅，倍感親切，漢學家葛浩文教授，則此番來美後始相識。舊雨新交，常相研討，乃盡出篋中所携文獻論稿若干，向這些美國朋友求教。承何瞻教授好意，相約台灣大學王德毅教授，爲之推薦出版。王德毅教授以史學名家，馳譽海內外，知名仰慕已久。以文會友，轉勝舊交。忝蒙不棄，予以鼎力成全。然自揣何能，敢以拙劣之稿，妄談結集，繼又思之，擬刊之文，都已先後在專刊雜誌上公開發表過，內容無所改動，今重新彙輯，祗不過勒爲一編，便於披覽而已。『它山之石，可以攻玉』，今能籍此機會，擴大交流，獲得海內外文獻專家，廣大讀者，進而見教，糾其未允，匡其不逮，其獲益豈淺鮮也哉！爰述此事原委於簡端，雪留鴻爪，兼誌謝忱。是爲序。

一九九一年九月洪湛侯於美國科羅拉多大學

中國文獻學新探　目錄

一、古典文獻學的重要課題

—兼論建立文獻學的完整體系

我國的古典文獻有着極爲悠久的歷史，對這些文獻進行研究和整理，從而形成的一門學問，就是文獻學。在我國文獻產生很早而文獻學一詞的出現却比較遲，這是因爲先秦時期的文獻研究，本來就處在萌芽階段；漢代以來，從事研究和整理文獻的工作實踐，或者被稱作「校讎」，或者被稱作「國學研究」「整理國故」等等，從來沒有得到正名，文獻學的名詞近代才出現，它既不同於歷史上的「經學」「樸學」，也不同於「考古學」「語言文學」，它的確切涵義，還正在被人們逐步認識和論定之中。

「文獻」一詞，最早見於《論語・八佾》篇，鄭玄和朱熹解釋「文」爲「文章」，「獻」爲「賢才」或「賢」。元代馬端臨作《文獻通考》，取「文獻」二字作爲書名，自序謂「引古經史謂之『文』，參以唐末以來諸臣之奏議、諸儒之議論謂之『獻』。」馬端臨稍後，元代的大詩人楊維楨〈送僧歸日本〉詩：「我欲東夷訪文獻，歸來中土校全經」，所指的「文獻」似乎已專指書籍資料了。明代編纂《永樂大典》，開始曾稱作《文獻大成》；稍後，程敏政作《新安文獻志》；清代錢林輯《文獻徵存錄》，都把「文獻」作爲書籍資料的代稱。

當代學者對「文獻」的看法也還不太一致，有的認爲「文獻」包括書本的記載和耆舊的言論，這是傳統的看法；有的把「文獻」看作「古籍」的同義語，認爲「文獻」就是「古籍」，這看法也未爲盡當，雖然「文獻」主要內容是「古籍」，但它還包含了「古籍」以外的甲骨文、金文、簡牘、碑拓、文書、檔案、信札、契約、手稿等各種形式的「文獻」，把「文獻」局限於「古籍」，是縮小了「文獻」的含義。

「文獻」必須具有歷史價值和科學價值，但決不是凡具有歷史價值和科學價值的東西都是「文獻」。例如地下掘出的古物，遠古人類的骨骼，沒有文字的陶器、銅器、漆器，以及古代的遺址、模型、造像、繪畫等等，這些實物，雖然有歷史價值，有的是歷史文物，但它們是古器物學、古人類學的研究對象，屬於考古範疇，與「文獻」有別。《辭源》給「文獻」下的定義是：「指有歷史價值的圖書文物。」《辭海》略同。按「文物」指的是歷代遺留下來的、在文化發展史上有價值的東西，諸如建築、雕刻、繪畫、圖書、陶器等等，古籍中部分精刻本固然有文物價值，但一般古籍却稱不上文物，把「文獻」釋作「圖書文物」則是擴大了「文獻」的範圍。

隨着現代科學的發展，當代有些情報工作者認爲「情報」就是「文獻」。但是，情報是動態性的、活的，有較強的針對性，它不局限於文字，也可以用符號記錄，還有實物情報，如採取實物呈列、語言交流等等方式，它不局限於以往和現時的材料，還能預測將來，有反饋作用。這些特點，與用文字記載的靜止的圖書資料，迥然有別。情報就是文獻的說法，更是不能成立的。

時至今日，由於文獻的內容、形式以及記錄文獻的載體都發生了重大變化，因此又有人主張把「文獻」區分爲「現代文獻」與「古典文獻」，但不論如何，總應當有一個兩者可以相通的定義。我想是否可以這樣理解：凡是用文字寫成的具有歷史價值和科學價值的圖書資料，就是「文獻」。

文獻學的含義怎樣？迄今爲止，國內辭書還沒有設立「文獻學」這一詞目。台灣《中文大辭典》雖然立了詞目，釋文却很含糊：「研究一民族之語言文學，以了解其文明程度之學術，謂之文獻學」，它撇開歷史文獻不談，把「文獻學」局限在「研究一民族之語言文學」，其疏略失當，蓋已毋容置辨。文獻學本是關於文獻研究和整理的一門學問，文獻本身的特點、文獻整理的方法、文獻學的歷史、文獻學的理論都應包括在內，簡單地說，文獻學應包括文獻的體、法、史、論等幾方面的內容，並把這些熔爲一體，進行系統研究，逐步建立文獻學的完整體系。

當前幾部「文獻學」專書，都側重於講授文獻整理方法，業師欣夫先生《文獻學講義》[1]特設一章，名曰：「文獻學的三個內容」，並闡述說：「既稱爲『文獻學』就必須名副其實，至少要掌握怎樣來認識、運用、處理、接受文獻的方法……本課定爲三個內容：一、目錄、二、版本、三、校讎。」認爲「文獻學」只是講授文獻整理方法的，這種觀點，現在還有一定的代表性，認爲「文獻學」無非是文字、音韻、訓詁加上版本、目錄、校勘而已。文字、音韻、訓詁屬「古代漢語」範圍，因而文獻學只須講講版本、目錄、校勘就可以了。這種看法，恐怕是不夠全面的。

從現在高等院校開設的課程看，中國文學專業一般開設有文學史、文學批評史、馬列文論、文學概論、文藝批評與寫作等；歷史專業開設有中國歷史、史學史、史學概論、考古學通論等；檔案學專業開設有檔案管理學、檔案文獻編纂、中國檔案事業史、檔案學概論等❷。上述這些課程的設置，都考慮到各個專業的特點、研究方法、歷史和理論。就是中醫院校開設課程也還注意到中醫傳統的「理、法、方、藥」完整體系。惟獨文獻專業的「中國文獻學」却只講文獻整理方法，只講整理方法中的部分內容，豈非以偏概全，名不副實！現在，全國各省先後設立了二十多所古籍研究所，在四所大學裡開設了文獻專業，面向全國招生，一些有條件的高等學校，先後開始招收古典文獻方面的碩士研究生和博士研究生，毫無疑問，「中國文獻學」業已成爲一門重要的學科，而不僅僅是一門課程。當前面對教學改革的大好形勢，深盼能對文獻專業的課程設置，作出一些相應的改革：建議按照「文獻學」的體、法、史、論四方面的內容，試設「書籍（檔案）制度史」「文獻整理方法論」「中國文獻學史」「中國文獻學理論」等專業基礎課；同時，結合文獻整理方法，開設目錄、版本、校勘、辨僞、輯佚、編纂等選修課；結合文獻學的相關學科，開設「古代漢語」❸「考古學」「圖書學」「中國古代文化史」等課程。如有條件，還可以開設「古籍整理」「文史工具書」「古代文化知識」「史料學通論」「古代典章制度」等專題課。此外，加強課外實習，培養學生的實踐能力，則又是非常重要的一個環節，使學生將來走上工作崗位，能夠學以致用，成爲文獻部門眞正能挑重擔的新生力量，不致高分低能，紙上談兵。下面再就文獻學的體、法、史、論四個部分，談一些粗淺認識，作爲引玉之磚。

㈠ 體

凡文獻形體之特點皆屬之。

1. 文獻的載體 就是記錄文獻的材料，如現代所用的紙、膠片、磁帶等都是，而在紙和雕版印刷發明之前，我國人民早就利用甲骨、金石、簡牘、縑帛來刻寫紀事，這些記錄文獻的載體，起着保存、傳播和發展文化的作用。甲骨、竹木簡和帛書都是近代、當代才陸續出土的，甲骨文在清光緒二十五年（一八九九）才被發現，至一九八四年統計，八十五年總共發現甲骨約十五萬片左右，其中包括流散海外十二個國家收藏的甲骨二六七〇〇片❹。對於甲骨文的研究，現在已經成爲一門專門學問，甲骨文可釋的字約一千個以上。關於青銅器上的文字，商代銘文比較簡單，西周銘文最繁，至春秋時又趨於簡要，已發現的傳世和出土的青銅器總數約有一萬件以上，其中帶有銘文的銅器約四、五千件，發現商周金文單字約共三五〇〇個，其中可釋字約二〇〇〇個。古代發現竹、木簡牘見於記載的已有過多次❺，原物早已蕩然無存。近世自清光緒二十五年（一八九九）新疆塔里木河出土晉代木簡，到一九四九年五十年間，發現竹木簡並見於報導的共有七次，一九一四年發現的敦煌漢簡、一九三〇年發現的居延漢簡、羅布淖爾漢簡，影響都比較大。自一九四九年來，先後在湖北、湖南、河南、山東、江蘇、江西、甘肅、新疆等地發現竹木簡三十批，約共四萬枚，其中時代較早的是湖南長沙、河南信陽、湖北江陵出土的戰國楚簡，湖北雲夢睡虎地出土的秦代法律文書簡。雖然歷史記載春秋時期已用簡書，但迄今爲止，還沒有發現春秋時期的簡牘。春秋戰國時期，帛書也已經相當流行，因此古代文獻常有「竹帛」並提的記載，一九七三年湖南長沙馬王堆三號漢墓出土帛書帛畫的同時，還出土了六百多枚竹簡，這說明在紙張發明以前，多是簡帛同用。只是縑帛埋藏在地下容易腐朽，所以近現代考古工作中出土的竹簡比較多，發現的帛書却比較少，因而我們對帛書的知識也比較缺乏，一九四二年長沙子彈庫出土的戰國楚帛書（又稱《晚周繒書》）早已流散國外，一九七三年馬王堆漢墓出土了二十多種十二萬多字的西漢帛書，才豐富了我們對縑帛的認識。

「著於竹帛謂之書」，簡冊和帛書，在漢代是書籍的主要形式，就是在紙張發明以後的一段時間裡，縑帛仍然在繼續使用，東漢以後，紙張才漸漸代替了縑帛，成爲常用的書寫材料。

我們從甲骨、金石、竹簡、縑帛、紙這些文獻載體發展變化的過程，可以清楚地看到我國文字形體和書籍制度的起源和演變。商周銘文的字體，一般稱爲大篆，秦漢時期轉向小篆和隸書，戰國楚簡的文字，上承商周甲骨文、金文，下啓秦篆和隸書，是文字發展史上的重要轉折點，具有獨特風格。出土的漢簡，則多爲隸書，如武威漢代《儀禮》簡，共存二萬七千四百餘字，較之熹平石經七經殘存八千數百字，多了將近二萬個字，而且都是眞正漢代通行的隸書，可見這些記錄文獻的載體，也是研究我國文字源流演變的重要材料。這些簡牘，同時也是考核書籍制度的實物。竹簡編聯成册，收卷起來，要用最後一枚簡作軸，從尾部往前反卷，第一枚簡的背面在外邊，加上篇題，便成爲一卷書的形式，等到發明了紙，轉移成爲卷軸的紙本，再發展爲宋代各種形式的裝本，或多或少還保存着古代簡册形式遺留的痕跡，所以竹簡的編聯形式是研究我國古代簡牘制度和書史的重要依據。我國現存的古籍，就是從這些記錄文字的材料發展而來的。這些材料的本身還不是古書，甲骨是古人占卜後刻上去的卜辭，青銅器上的文字，多數是王公貴族紀功頌德的銘文，殷周時期竹木簡上的文字多數是紀事。這些，不論它的內容如何，當時都還沒有編成書，都只能算作文獻或檔案，直到經過孔子和戰國時學者的整理，編成經傳，才可以稱得上是「書」。現在有些論述古典文獻的著作，把所有古代記錄文獻的材料，渾稱之曰「書」，有的著作，甚至還說什麼「龜甲獸骨的書」「青銅的書」「竹木的書」「縑帛的書」「石頭的書」，並總稱之爲「雕版印刷發明前的古籍圖書」[6]這眞是不可思議的事！

我們要研究古代文獻的載體，還有更重要的一層意思，就是這些載體所錄的材料本身的價值，甘肅武威漢墓出土的《儀禮》簡，山東銀雀山漢墓出土的《孫子兵法》《孫臏兵法》等兵書簡，馬王堆漢墓出土的《老子》帛書，都是考古史上的驚人發現，具有很大的歷史意義和科研價值，利用這些文字材料，補史、考史、校史、證史，其作用是難以估量的。

2. 文獻的體裁　古代流傳至今的文獻資料，從編纂形式區分，大致可以分爲滙編、專著、總集、別集、辭書、類書、政書、叢書、長編、約編、方志、表譜、圖錄、碑帖、信札、檔案等十多種體裁，細分當不止此，這裡不過粗略地舉其常見常用者而已，文獻工作者應把這些看作文獻學的一個重要組成部分來熟悉它，研究它。熟悉它的內容特點，便於閱讀使用，研究它的編纂結構，便於推陳出新。這些文獻體裁，就其中任何一門深入研究，都是專家之學。宋代鄭樵之重視圖譜，清代章學誠之論述方志，當代胡道靜對類書的研究，張滌華對類書和總集的評述，都已卓然名家。

在文獻研究工作上，有些封建時代的傳統看法，有時也給研究工作帶來一定的影響。例如總集的起源問題，歷來都認爲先有別集，後有總集，別集之名起於東漢❼，總集起源於晉代摯虞的《文章流別》，其書已佚，現存總集，以《文選》爲第一部。其實，總集之起，應該上溯《詩》《騷》，可是，自漢代以來，《詩》被列爲「六藝」之一，成了儒家的經典；《楚辭》又被後代目錄家列爲獨立的類目——「楚辭類」，都不算作總集。相沿至今，積重難返，現在應該循名責實，把這些因襲未當的分類，糾正過來，還其本來面目。聯想到余嘉錫先生疑西京之末，已有別集，並認爲「秦漢諸子，即後世之文集」❽，這都是實事求是評論文獻體裁的卓越見解，對我們很有教益和啓迪。

3. 文獻的體例　文獻中的古書，特別是先秦時期的古書，其體例與後世不盡相同，試舉三例，述之於下：

(1)古書多無書名。古書的命名，多出於後人的追題。上古無私學，古時的官書，或舉著書之意以爲名，或舉所記之事以爲名，前者如古書《連山》《歸藏》《乘》《檮杌》《春秋》等，後者如《六藝略》中之《司馬法》《國語》《世本》《戰國策》等都是。還有一些古書，常摘首句以題篇❾，王國維說：「《詩》《書》及周、秦諸子，大抵以二字名篇，此古代書名之通例，字書亦然。」❿還有一些古書，原無書名，後世乃以人名爲書名。如《史記·韓非傳》云：「作〈孤憤〉〈五蠹〉〈內外儲說〉〈說林〉〈說難〉十餘萬言」，這裡只列篇名，並無書名，後世乃名之爲《韓非子》。至於自撰書名，當始於呂不韋的《呂氏春秋》和淮南王安的《鴻烈》，直至東漢以後，除了別集，皆有書名。

(2)古書不題作者。《易繫辭傳》云：「《易》之興也，其於中古乎？作《易》者，其有憂患乎？」又云：「《易》之興也，其當殷之末世，周之盛德耶，當文王與紂之世耶？」其辭疑而未定，並未題爲文王所作。這種情況，直到秦漢還是如此。《史記·韓非傳》云：「人或傳其書至秦，秦王見〈孤憤〉〈五蠹〉之書曰：『嗟乎，寡人得見此人與之游，死不恨矣。』李斯曰：『此韓非之所著書也。』」可見非經李斯提出，秦王尚不知其書爲韓非所作。〈司馬相如傳〉云：「蜀人楊得意爲狗監侍上，上讀〈子虛賦〉而善之，曰：『朕獨不得與此人同時哉！』得意曰：『臣邑人司馬相如自言爲此賦。』上驚，乃召相如，相如曰：『有是。』」——這些，都是古人著書不自著姓名的確證。

周秦之書，既不著姓氏，門弟子相與編錄，又有所增益，數傳之後，不辨其出於何人手筆，則推本先師，於篇目之下題曰某子，於是，後人以爲某子即作者的姓名。這些著述，雖云學有師法，書則多非出於一手，這是不可不知的。

(3)古書有單篇別行之例。這也有幾種情況，一爲本是單篇，後人收入總集，其後又從總集內析出單行，如漢人從《尚書》中析出〈禹貢〉〈洪範〉，宋人從《禮記》中析出〈曲禮〉《檀弓》，單篇獨行。另一種情況是，本是單行之篇，收入全書以後，原來單行之本，還並存不廢。余嘉錫先生曾評論「章學誠不知此義，其《校讎通義》乃謂〈弟子職〉〈三朝記〉爲劉歆『裁篇別出』，若先有《管子》《大戴禮》而後有〈弟子職〉〈三朝記〉者，不免顛倒事實矣。」[11]原來《弟子職》《三朝記》早已在《管子》《戴記》之先，就已作單篇別行，正像後代先有單行之本，後有叢書一樣。

從事文獻整理而不明古書之體例，欲論古書之眞僞，無異緣木求魚。所以說，不明古書之體例，難以讀古人之文。故文獻辨「體」，至關重要，不可不三致意焉。

(二)法

目錄、版本、校勘、辨僞、輯佚、編纂六者，都是文獻整理的重要方法，再輔以標點、注釋、翻譯、資料搜集、文獻保藏等方面的知識和方法，就構成了文獻學方法論的完整內容。目錄、版本、校勘三者，各類專著，論述已多，不再重述，述辨僞、輯佚、編纂之重要性如下：

1.辨僞　辨僞是文獻整理、史料鑒別的基礎工作，就書本文獻來說，辨僞的任務，包括對古籍名稱、作者、年代、版刻眞僞的考訂，也包括對古籍內容、史實、學說眞僞的考辨。具體地說，前者主要是辨別僞書，與文獻學關係更加密切，後者主要是辨別僞說，屬於學術思想史的研究範圍。古典文獻學研究以古籍爲主要對象，辨別僞書應是文獻研究的一個重要前提，當然，也會涉及書籍內容的眞僞問題，與辨僞說不能截然分開，只是在具體問題上各有側重而已。

我國的古籍，習慣上按經、史、子、集四部分類，各類之中都出現過不少僞書，據明代辨僞學家胡應麟分析，「凡四部之僞者，子爲盛，經次之，史又次之，集差寡。」⑫僞書的產生有多方面的原因，總的來說，先秦時期有意造作僞書的比較少，秦漢以後，蓄意作僞的漸多，到了明代中葉，製造僞書發展到十分嚴重的地步。歷史上從目錄學角度考辨僞書的，首推西漢時期的劉向，人們稱道的劉向校書就包括辨僞的內容在內。張舜徽先生研究《漢書·藝文志》，總結出劉向考辨僞書的六條義例⑬，對文獻學研究啓迪良多。唐代劉知幾、啖助、柳宗元、韓愈；宋代歐陽修、朱熹、葉適、高似孫；元代吳澄；明代宋濂、梅鷟、胡應麟；清代姚際恒、閻若璩、崔述這些文獻學大家，對辨僞工作都作出過很大貢獻，這是文獻學史上值得奮筆大書的。辨僞之重要如此，怎樣不能列入文獻整理方法之列呢！

2.輯佚　我國的古典文獻，散佚的現象非常嚴重。這些散佚的材料往往在同時的其他文中，保存着片斷，後人把這些殘篇斷句，一點一滴的鉤稽出來，或使原書恢復舊觀，或使其文略存梗概，或補其佚篇，或訂其訛誤，對於文獻整理來說，輯佚的功用是不可低估的。

據文獻記載，漢、唐學者已做過不少輯佚工作[14]，南宋時期就出現了完整的輯本，清代從《永樂大典》輯出並已錄入《四庫全書》的，就有三百八十八種、四千九百四十六卷之多，嘉慶時期徐松從《永樂大典》中輯出的《宋會要》五、六百卷，這些，在學術研究上，都是很有價值的。清代敕編《全唐詩》《全唐文》《全金詩》以及張金吾輯《金文最》，李調元輯《全五代詩》，特別是嚴可均輯《全上古三代秦漢三國六朝文》，都採用輯佚方法，搜集遺文，這些大型的詩文總集，都是文獻整理和輯佚的重要成果，對後世影響很大。到了現代，輯佚工作已由經學附庸、考據學支流發展成爲科學研究、文獻整理的重要手段，魯迅先生輯《古小說鉤沉》《會稽郡故書雜集》，輯佚的對象亦已由輯經說，輯子、史、詩文集擴大到輯小說、戲曲、詞、詩話、語言、方志、敦煌遺書、科技文獻等方面，並已先後產生了一大批質量較高的輯佚成果。輯佚的作用如此巨大，又怎樣不能列入文獻整理方法之列呢？

3.編纂　古典文獻之所以能夠流傳至今，很重要的一個環節，便是「編纂」。《尚書·多士》「惟殷先人，有典有册」，金文「册」字，就很像竹簡的編綴形式，「典」字則像置「册」於几上。竹簡的編綴成「册」，對後來書籍的編纂，有很大的啓發作用。「孔子之未生，天下有六經久矣。」[15]「《易》掌太卜，《書》藏外史，《禮》在宗伯，《樂》隸司樂，《詩》領於太師，《春秋》存乎國史。」[16]孔子自謂「述而不作」[17]，他在文化史上最大的貢獻就是整理、編纂，編訂《六經》。漢代劉向、劉歆校理群書，所做的重要工作，請如條其篇目，删其複重，定著篇名，也都屬於編纂之事。劉向《晏子書錄》云「又有複重，文辭頗異，不敢遺失，復列以爲一篇。」說明他對於編次是非常謹愼的。《戰國策書錄》云：「臣向因國別者略以時次之。」《國策》記各國的史事，其中本無次序，劉向在校讎時，爲考其時代而重加編次，然後一國之史事，秩然有序。可見劉向早已把編纂作爲整理文獻的重要方法，付諸實用了。古典文獻的重要體裁，如辭書、類書、詩文總集、叢書、政書、方志、圖譜、檔案史料等等，無一不是採用編纂方法，類輯資料，編訂而成。這些體裁，大都屬於後世所謂「資料書」「工具書」一類，它的作用却是不可低估的。章學誠說：「天下有比次之書，有獨斷之學，有考察之功」，他認爲「比次之書」「其源雖本柱下之所藏，其用止於備稽檢而供採擇。……然而獨斷之學，非是不爲取裁，考索之功，非是不爲按據。」[19]所以他認爲這類書籍的作用是不可輕視的。歷代文獻學家積累了豐富的編纂經驗，正有待於我們繼承、總結和提高。目前已有一些檔案編纂學、方志編纂學、字典編纂學等書，先後問世。相信更加完備的文獻編纂學專著的出版，當可計日而待，跂予望之。

(三) 史

什麼是文獻學史？文獻學史不等於文獻史，文獻史是各類文獻的歷史，如書史、辭典史、檔案史之類，而文獻學史則是文獻發生發展總的歷史，包括各類文獻體、法、史、論，源流演變、縱橫綜合的歷史。文獻學史不僅要總結過去，而且要展望未來，要根據歷史發展規律，預測未來發展的趨向。

迄今爲止，對於文獻學的「史」的專門研究，一直沒有引起足夠的重視，雖然出版過幾種校讎學史、目錄學史、檔案學史、版本印刷史，當代諸家的文獻學概論，對古典文獻的流傳、前人整理文獻的業績，亦有所介紹，有所評述，但畢竟都還不是系統的文獻學史專著。

文獻學史包括的範圍較廣，存在的問題很多，編寫文獻學史對一些爭議較多的重大問題，應該提出來探討，以推動學術研究。下面就輯佚的起源和雕版印書的創始等問題，談點不成熟的看法，以求教於專家。

關於輯佚的起源問題，《四庫全書總目》認爲輯佚記源於宋末的王應麟，在《三家詩考》《周易鄭康成注》等條，高度評價了王應麟「篳路藍縷」「經營創始」之功。在同一時期，章學誠也曾詳細論述王應麟所輯三書爲最早的輯佚著作。認爲「後代好古之士，綴緝遺文，」不過「踵其成法」⑲，此後皮錫瑞《經學歷史》、梁啓超《中國近三百年學術史》以及近代、當代一些古書校讀法、文獻學、史料學著作，論及輯佚，皆守此說。惟葉德輝《書林清話》根據宋黃伯思《東觀餘論》所述，認爲輯佚之書當以《相鶴經》輯本爲鼻祖。雖時間稍早於王，亦不過五十步與百步。從理論上說，文獻有流散就可能有輯佚，輯佚的起源應當比較早。去年我曾爲此寫過一篇短文，論述北宋初期孫洙（巨源）於佛寺經龕中獲得唐人所藏《古文苑》，「所錄漢魏詩文多從《藝文類聚》《初學記》刪節之本。」[20]；唐代馬總根據梁朝庾仲容《子抄》輯《意林》，都已運用輯佚方法，可見唐代就已有人從事過輯佚的嘗試。[21]現在又進一步從現存古代史料考知，今本《晏子春秋》中就有劉向據《史記》增補的佚文；[22]西漢宣帝時戴聖從《公孫尼子》中輯出《樂記》十一篇合併爲一篇，編入《小戴禮》，即今本《禮記》的第十九篇。觀《隋書・音樂志》引梁武帝〈思弘古樂詔〉可證。根據這兩項材料，證明西漢時期的學者就已利用輯佚方法來整理古籍，更加說明輯佚並非王應麟「經營創始」的了。

再如我國雕版印書的起源問題。現今存世最早的印刷品據說是日本稱德天皇時代所印的百萬塔《陀羅尼咒》，從天平寶字八年（七六四）至神護景雲四年（七七〇）畢工，主持印造的東宮學士吉備眞備，曾來我國留學十九年，他建議用印刷來代替抄寫，顯然是受中國的影響[23]。可以推想，在八世紀七十年代即我國唐代代宗（七六二—七七九）以前，中國很可能就已經知道雕版印刷的方法，可是我們國內現存實物還沒有早於八世紀以前的，這是十分遺憾的事。又據文獻記載，唐咸通六年（八六五）日本僧宗睿留學中國，回國時帶走的雜書中有四川印子《唐韻》《玉篇》各一部。所謂四川印子就是四川印本的古稱，可知在唐代咸通年間已能雕印成本的古籍。我國從敦煌千佛洞石室發現的咸通九年卷子本《金剛般若波羅蜜經》，雕印非常精美，扉頁的版畫，刋印之精，在雕版技術上已達到純熟的程度，可以推想，必需經過一段相當長的時間，才能演進到這樣成熟的階段，因此決不能以現存實物的年代，作爲我國雕版印刷起源的年代。我國的雕版印刷受佛教影響很大，推想在初唐或盛唐時期的佛教典籍中，可能會有關於雕版的記載。另外，本世紀以來，在敦煌及新疆考古發現的遺物中有不少佛教印刷品沒有記載雕版的具體時間，這些都有待我們去分析判斷，尋求實證，從而探討我國雕版印刷發明的確切時間，這是文獻學史研究不容忽略的重大課題。此外，目錄學史上存在的問題也很多，諸如目錄學究竟產生於何時？它與校讎學的關係怎樣？六朝時期佛經目錄對中國目錄學起過那些重大影響等等，這一系列的問題都要求在編寫文獻學史時，弄清原委，統一看法。

文獻學史的編寫，我認爲既可以從橫的角度敍述，以事爲綱，如：載體變遷，雕版始末，聚散沿革，公私庋藏，校理經過，方法流別，理論探索等各個方面；也可以從縱的角度，以時爲綱，將整個文獻學史總的發展趨勢，作如下分期：

(1)先秦　（起源期）
(2)漢　（奠基期）
(3)魏晉至隋　（變遷期）
(4)唐、五代　（發展期）
(5)宋　（興盛期）
(6)元、明　（衰落期）
(7)清　（恢復、鼎盛期）

當然，發展不可能這樣單一，如元、明時期，辨僞、輯佚處於低潮，而雕版印刷仍然在發展，套印、版畫，明代都很有特色，駕乎宋元之上；清代文獻整理，確實盛極一時，但辨僞工作、辨僞思想的活躍程度，既不逮兩宋，且不及明朝。這裡只不過就總體上作了粗略的劃分而已。

㈣ 論

從我國文獻研究的現狀來看，理論是一個薄弱的環節，目前還未見系統的文獻學理論專著問世，這方面的文章也不多見。然而我國文獻理論蘊藏還是相當豐富的，正有待於我們去發掘、開採和提煉。

劉向、劉歆校理群書，首創校讎義例，最爲後世師法。鄭樵《通志・校讎略》、章學誠《校讎通義》都總結了劉向以來校讎目錄學的豐富經驗。章學誠還提出：「辨章學術、考鏡源流」這一著名論點，大大豐富了我國文獻學的理論寶庫。清代校勘之學，名家輩出，王念孫、引之父子之校群經，錢大昕、大昭兄弟之校諸史，皆用力精邃，陵跨前人。王念孫校勘經傳，以聲求義，破其假借之字而讀以本字，在方法上，理論上都有很高造詣，《讀書雜志》和《經義述聞》薈萃了王氏父子的校書成果。錢大昕兼通經史，阮元稱其校勘史籍能「訂千年未正之訛」。[24]他的校史成果，薈萃於《廿二史考異》一書，《潛研堂文集》《十駕齋養新錄》

中也有很多精闢的論述。盧文弨、顧廣圻都以校勘名家，戴震、段玉裁等對於校勘也有很大貢獻。盧文弨鍾山、龍城兩札記以及文集中的序、跋兩類，顧廣圻的《思適齋集》、戴震的《戴東原集》、段玉裁的《經韻樓集》，都收錄有他們關於校勘的名言法語。我們從清人著作、文集、筆記、序跋、書信以及當代學者的論文中，輯錄校勘學的理論，當可蔚爲大觀。

談目錄學也必須溯源劉氏向歆父子的《別錄》《七略》，總括錄、略著作的體例，主要有篇目、敍錄、小序三項，這三種體例的作用，同歸於「辨章學術，考鏡源流」，後代的目錄書，大抵不出這個範圍。清代學者的文集、筆記、藏書題跋中也有很多關於目錄學的論述，朱彝尊的《曝書亭集》、顧廣圻的《思適齋書跋》、錢大昕的《潛研堂文集》、黃丕烈的《蕘圃書跋合編》、曹元忠的《箋經堂集》以及傅增湘的《藏園群書題記》等等，都是目錄學的重要著作，有的理論性還比較強。錢大昕《潛研堂答問》卷十的〈論經史子集四部之分〉、金錫齡《劬書堂遺集》中的〈七略與四部分合論〉，都是關於目錄分類的重要理論著作。晚近余嘉錫先生的《目錄學發微》、當代張舜徽先生的《廣校讎略》，都是功力深厚的專著。從上述這些著作中，可以探求中國目錄學理論發展、形成的印跡。

版本和編纂，固然都是文獻整理的重要方法，可是它們的技術性比較強，相對的說，理論性論著比較少見一些。編纂的理論，尚可從早期的校讎、目錄學著作中探索鈎沉，只是爲數不多。關於版本鑑別，除知見的一些藏書記以外，有些散見於筆記、雜考之中。如葉盛《水東日記》、屠隆《考槃餘事》就有關於鑒別宋版書的論述，孫慶增《藏書紀要》論鑒別方法，比較詳盡，葉德輝《書林清話》也以論述版本爲多，都是他的經驗之談。

辨僞與輯佚理論，數量遠遜於校勘、目錄，但終究還有一些代表性的論著。

早在南宋時期，朱熹就已提出考辨僞書的方法，他說：「熹竊謂生於今世而讀古人之書，所以能辨其眞僞者，一則以其義理之當否而知之，二則以其左驗之異同而質之，未有捨此兩途，而能眞正臆度懸斷之者也。」[25]朱熹以後，把歷代學者關於辨僞的見解和實際採用過的辨僞方法，加以歸納總結，使之條理化，系統化，從而成爲比較完備的辨僞理論的則爲明代的胡應麟，他在所著《四部正訛》一書中，把僞書產生的原因和僞書的性質，歸納爲二十類，又把致僞的程度歸納爲六類，並且系統地、具體地分析了作僞的情況，提出了考辨僞書八種方法，形成了一套粗具規模的辨僞學理論，影響十分深遠。清代閻若璩著《尚書古文疏證》，不僅給後代留下了考辨成果，更有價值的是總結、豐富了辨僞的方法論。近代梁啓超提出《論鑒別僞書之公例》十二條[26]所論具體而又嚴密；梁氏別有《古書眞僞及其年代》一書，論證尤爲詳備。

輯佚的理論性著作可以溯及宋代，鄭樵《校讎略》有〈書有名亡實不亡論〉一篇，舉出許多具體例子說明古書雖然亡了而實際並沒有亡，他認爲有的書亡佚了，可以根據另外的古書重新編寫；有的古書亡佚了，它的內容保存在另外的古書當中，可以重新錄出，前一點做起來比較艱難，後一點對於從古籍中輯錄佚書，確實大有啓發。明萬曆間，祁承㸁在《澹生堂藏書約·藏書訓略》中進一步指出：「如書有著於三代而亡於漢者，然漢人之引經多據之；

書有著於漢而亡於唐者，然唐人之著述尚存之；書有著於唐而亡於宋者，然宋人之纂集多存之，每至檢閱，凡正文之所引用，注解之所證據，有涉前代之書而今失其傳者，即另從其書各爲錄出。」這比宋代鄭樵又有了更大的發展，祁氏明確提出「另從其書，各爲錄出」的輯佚的具體方法，對清代輯佚工作的蓬勃興起，影響至大。上述鄭樵，祁承㸁關於輯佚的論述，應屬我國輯佚理論的一個重要組成部分。

文獻的各種體裁，如類書，叢書、總集、方志、檔案等等，也都有各自相應的理論，如清代章學誠提出「方志立三書議」㉗、「修志十議」㉘以及認爲方志爲史裁，不可以地理專門自晝，「朝廷修史，必將於方志取其裁」㉙等等，都是方志學的著名理論。舉此以概其他，餘不備述。

綜觀我國的文獻學理論，大致有以下三個特點：一、理論的形成和發展都比較遲，「術先學後」，本是符合我國古典理論發展規律的，我國封建社會注重經學，注重詞章，理論一門從來就比較薄弱，文獻學更其如此；二、文獻學中的各個門類，理論發展不很平衡，一些技術性，實踐性比較強的門類，理論比較貧乏，而像校讎，目錄、方志諸門，歷史悠久，積累的理論也較豐贍。三、理論與實踐聯繫比較密切，中國文獻學理論，都是從文獻研究與文獻整理的實踐中總結出來的，及其形成爲一種學說之後，又回過來推動和指導實踐。這是中國文獻理論的優秀傳統和顯著特色，是值得珍惜和發揚的。

註釋

❶ 王欣夫先生《文獻學講義》，上海古籍出版社一九八六年二月出版。

❷ 所學中國文學專業、歷史專業、檔案專業的主要課程設置，見一九八六年十一月召開的《高等學校文科本科專業目錄論證會材料之三》。

❸ 《古代漢語》側重在文字、音韻、訓詁方面，可與文學語言專業合併開設。

❹ 根據一九八四年七月胡厚宣〈八十五年來甲骨文材料之統計〉一文。

❺ 漢景帝時魯恭王壞孔子舊宅，得戰國竹簡，見《漢書・藝文志》；漢宣帝時河內女子於老屋得古文書，見《論衡・正說篇》；晉太康三年，汲郡人盜魏王古墓，發現竹簡數十車，見《晉書・束皙傳》等。此外，南齊、北周和宋代崇寧、政和年間，相傳都或多或少發現過。

❻ 引例見《中國古籍印刷史》，印刷工業出版社一九八四年五月出版。

❼ 見《隋書・經籍志》。

❽ 見余嘉錫《古書通例》卷二。

❾ 本節所論，多採余嘉錫先生之說，見《古書通例》卷一。

❿ 見王國維《觀堂集林》卷五〈史籍篇疏證序〉。

⓫ 見余嘉錫《古書通例》卷三〈論編次第三〉。

⓬ 見胡應麟《四部正訛》。

⓭ 見張舜徽《廣校讎略》。

⓮ 參看拙文〈輯佚〉上篇，載杭州大學《語文導報》一九八六年第六期。

⓯ 見龔自珍〈六經正名〉。

⑯ 見章學誠《校讎通義》。
⑰ 見《論語・述而》。
⑱ 見章學誠《文史通義・答客問中》。
⑲ 見章學誠《文史通義・補鄭篇》。
⑳ 見《四庫全書總目・集部》。
㉑ 詳見拙文〈輯佚〉上篇，載杭州大學《語文導報》一九八六年第六期。
㉒ 參考孫德謙《劉向校讎學纂微》。
㉓ 轉引自昌彼得〈我國版本學上幾個有待研究的課題〉，原載《書目季刊》創刊號，一九六六年九月。
㉔ 阮元《十駕齋養新錄》序言。
㉕ 《晦庵先生文集》卷三十八〈答袁機仲〉。
㉖ 見梁啓超《中國歷史研究法》。
㉗ 《章氏遺書・方志略例一》。
㉘ 《章氏遺書・方志略例二》。
㉙ 《章氏遺書・方志略例一》。

（原刊《杭州大學學報》第十七卷二期，一九八七）

二、古代記錄文獻的材料

(一) 甲骨

在紙張和雕版印刷沒有發明的時候，我國古代人民，先後利用甲骨、金石、簡牘、縑帛來刻寫記事，記錄文獻，這些原始材料，起着保存、傳播和發展文化的重要作用，它是人類文明的瑰寶，在世界文化寶庫中琳琅奪目，閃輝着絢麗的光輝。

甲骨：龜甲獸骨的總稱。上面刻的文字稱甲骨文，是殷商時代占卜的「卜辭」。《禮記・表記》說：「殷人尊神，率民以事神，先鬼而後禮」。當時生產力非常低下，天被認爲有至高無上的權力，殷商奴隸主階級什麼事情都要祈求上帝和祖先的保佑，行事之前，都得借助占卜，以定吉凶。甲骨文就是刻在龜甲獸骨上的占卜記錄和一些與占卜有關的記事文字，是當時史官保管的重要文獻。因爲出土於殷墟，故又稱「殷墟卜辭」、「殷墟書契」。甲，是龜的腹甲，也有將龜的背甲鋸開使用的。骨，主要用牛的距骨、頭骨或鹿的頭骨，用虎骨和人的頭骨是極少數。獸骨取材方便，龜甲則需方國進貢。占卜之前，先把甲骨上的血肉剔除乾淨，把腹甲或背甲刨平，在它的內側或反面用刃具挖一棗核形的洼穴，在旁邊鑽一與洼穴相連的圓孔，占卜的時候，卜師用火點燃荆木的枝條，灸灼甲骨上鑿的圓孔，在甲骨的正面便會爆出「卜」字形的裂紋，稱爲「兆」、「兆象」或「兆璺」，也稱爲「坼」，當時作爲附會人事以測吉凶的依據。

關於龜卜的情況，在《周禮・春官・占人》、《儀禮・士喪禮》、《禮記・月令》和其他先秦古籍以及《史記・龜策列傳》中都有一些記載，可以考知梗概。清代胡煦《卜法詳考》四卷，言之詳審。至於骨卜，古書上很少有專門的記載，《後漢書・東夷傳》裡雖然提到過「灼骨以卜，用決吉凶」，但都比較簡略。近人根據一九四九年前雲南彝、羌、納西等少數民族「羊骨卜」的程序，推斷古代骨卜大概也是先行鑽、鑿，再用火灼，據裂紋以定吉凶，與龜卜大致相同。

甲骨文在清光緒二十五年（一八九九）才被發現，當時當作中藥材「龍骨」出售，住在北京的金石收藏家王懿榮在一個偶然的機會發現甲骨上面刻有古文字，他便四處搜求，共得一五〇〇片。不久，王懿榮去世，甲骨爲丹徒人劉鶚所得，劉又繼續收集，約得五千片，擇其中字跡完好者一〇五八片，於一九〇三年拓印成《鐵雲藏龜》，這是第一部著錄甲骨的專書，一九〇四年孫詒讓據此寫成《契文學例》二卷，是爲我國學者從事甲骨文字研究的開始。其後羅振玉、王國維等人繼續搜訪，羅振玉先後所得達三萬片，編印了《殷虛書契》、《殷虛書契菁華》、《殷虛書契前編》、《殷虛書契後編》、《殷虛書契續編》等加以著錄和考釋。王國維編《戩壽堂所藏殷虛文字》並於一九一七年寫了《殷卜辭中所見先公先王考》及

《續考》等著名論著，在文字考釋的基礎上，把甲骨文研究與商史研究結合起來，取得很大成果。

就在我國國內學者致力搜求和研究甲骨文的同時，美國人方法斂、英國人庫壽齡、德國人威爾次、衞禮賢、加拿大人明義士以及日本人林泰輔、三井源右衞門等，利用當時中國半殖民地的狀況，通過各種手段，大量運走我國古代文化珍品，大批甲骨因此流散國外。

在甲骨發現的最初階段，雖有人知道是商代遺物，但它究竟在哪裡出土，以及甲骨所屬年代，還是一個疑團，知道得並不確切，經過羅振玉多年探尋，王國維等學者深入考證，直到一九〇八年才弄清甲骨眞正出土的地點是河南安陽小屯村的殷墟，從而論定甲骨文就是殷代後期從盤庚遷殷到紂辛滅國八世十二王二百七十三年這一段時間的遺物。

從一九二八至一九三七年，中央研究院採取科學方法在河南殷墟先後進行了十五次發掘，獲得了大量商代晚期遺跡遺物和大批甲骨文，編印出版了《殷虛文字甲編》、《殷虛文字乙編》。在一九二九年第三次發掘時，發現了同時同地出土的四版大龜甲，董作賓根據「大龜四版」上面出現的爭貞、亢貞、賓貞、𠯑貞、品貞、𨑢貞等字，考定了這些都是貞人的名字並據此探討它的時代，定出分期斷代的十項標準，從此鑿破鴻蒙，把對殷商各朝的歷史研究建立在科學的基礎上。就在這一時期，郭沫若、于省吾、胡厚宣、陳夢家、商承祚、唐蘭、張政烺等著名學者在甲骨文研究和文字考釋方面都取得很大成績。

甲骨本身是記錄古代文獻的材料，而甲骨上面刻寫的文字又具有很大的文獻價值，它是研究商代歷史可靠的科學資料，也是考證古代文獻訂訛正誤的重要依據。殷墟甲骨的內容，大致包括祭祀、征伐、狩獵、天時、畜牧、經濟、雜類等項。從甲骨文的記載中，可以很清楚地看到商代奴隸社會的本質和奴隸主階級殘暴的罪行。胡厚宣在〈中國奴隸社會的人殉和人祭〉一文中統計出從盤庚遷殷到帝辛亡國二百七十三年中「殺人祭祀，至少亦當用一四一九七人」，考古發掘的累累白骨，正好和甲骨文的記載相印證。

對於甲骨文字的研究，在甲骨發現的初期就取得不少成果。孫詒讓最先發現《尚書・高宗肜日》裡的「肜」字，實際上就是甲骨文中的「彡」（易）字，認爲「易日猶言更日」，從而訂正了這個相沿兩千多年的誤字。羅振玉根據卜辭和古文獻對照，考出湯名「天乙」，應作「大乙」。甲骨文中只有「大乙」，沒有「天乙」、「天」與「大」形近致訛。這是根據甲骨刻辭校正古書的又一個例子。王國維根據卜辭，系統地考證了商之先公先王的名號，整理出一個可信的世系，使中國古史上最爲糾紛的問題得以論定。由於他們研究的卓越成就，使甲骨文的史料價値爲舉世所公認。

自甲骨發現到一九四九年前夕五十年間，研究甲骨文的論著約有九百種。自一九四九年來甲骨文研究取得更大的進展，國內發表的甲骨文論著約四百餘種。甲骨的辨僞和綴合工作，也取得很大成績。一九五五年中國科學院考古研究所將斷碎了的甲骨聯接起來，編成《殷虛文字綴合》一書，爲甲骨研究工作補充了大批新資料。一九六五年考古研究所編輯出版的《甲骨文編》，收錄甲骨文四六七二字，可識的字約九百餘。每字注明出處，加以簡要說明，可以作爲甲骨文的字典使用。于省吾關於「獨體形聲字」的發現，對我國古文字研究有重大意義，他所著《甲骨文字釋林》和他主編的《甲骨文考釋類編》對於甲骨文字的研究，都作出了重大貢獻。陳夢家的《殷墟卜辭綜述》是一部全面整理和研究甲骨文和商史的巨著，是甲骨文研究的總結性著作。中國社會科學院歷史研究所列入國家重點科研項目的《甲骨文合集》，收錄甲骨四萬多片，包括了八十年來國內外出版的著錄書和分散在國內外甲骨的拓本，全書分十三册出版，是一部集大成的甲骨著錄，是我國第一部大型甲骨文資料滙編。

一九五三年在著名的鄭州二里崗商代遺址發現商代的甲骨，擴大了甲骨的出土範圍。特別重要的是近年在山西、陝西、北京等地先後發現了周代甲骨文，一九七七年在著名的陝西「周原」遺址，出土西周甲骨一七〇〇〇片，清洗出有字甲骨一九〇多片，這批「周原」甲骨共有單字約六百多個，是研究商末周初歷史、地理和官制的重要史料。這些甲骨的出土，使人們改變了只有殷代才有甲骨文的傳統看法。

「周原」出土的甲骨文，是一種古老的「異形文字」，字體纖細，必須用五倍放大鏡才能辨識清楚，在我國微雕史上是一個奇跡。關於殷人、周人如何在堅硬的龜甲和獸骨上契刻文字，他們是使用什麼刀具，刻出象殷代帝乙、帝辛時期的像芝麻大小的和「周原」甲骨這種線條纖細的卜辭，簡直是不可思議的事。郭沫若從象牙工藝的工序，聯系到甲骨在契刻文字或其他創治手續之前，估計可能是經過酸性溶液的泡製，使之軟化，然後再加工契刻的。（參見郭沫若〈古代文字之辨證的發展〉一文）這種設想還有待於驗證。

根據最新統計資料，八十五年來，總共發現甲骨約十五萬片左右，其中包括流散海外十二個國家收藏的甲骨二六七〇〇片（根據一九八四年七月胡厚宣《八十五年來甲骨文材料之統計》一文）。

(二) 金石

在商代至秦漢的青銅器上面，常常鑄上或刻上文字，這就是銅器銘文，又稱「金文」。古代銅器種類很多，一般分禮器（即祭器）與樂器兩大類。禮器以鼎爲最多，樂器以鐘爲最多，所以前人把鐘和鼎作爲一切銅器的總稱，銅器銘文亦稱爲「鐘鼎文」。《墨子．魯問》：「則書之於竹帛，鏤之於金石，以爲銘於鐘鼎，傳遺後世子孫。」銅錫合金鑄成的青銅器比竹帛石刻更爲堅實，不容易削蝕朽爛，所以它對保存文獻所起的作用，更加持久。

銅器銘文字數多寡不一，簡單的僅刻一族徽或其他符號，有的刻了作器人的姓名，後來漸漸刻上紀念性文字，再進一步便把需要長期保存的文獻也刻在上面了。《禮記．祭統》說：「夫鼎有銘，銘者自名也，自名以稱揚其先祖之美而明著之後世者也。」可見銘文除了記事之外，更多的却是紀念祖先、表彰功德，字數多者如毛公鼎、齊侯鎛、中山王䵼鼎將近五百字。一般說來，商代銘文比較簡單，西周銘文最繁，至春秋時又趨於簡要。到了秦漢時期，就很少發現鑄有長篇銘文的銅器了。

殷周的青銅工業，有著高度發達的鑄造技術，傳世和出土的青銅器有很多都是氣魄雄偉，造型生動、紋飾精緻的製品。如形體巨大、製作精美、重達八七五公斤的司母戊大鼎，不但是我國商代後期青銅器的代表作，而且在世界青銅文化史上也是僅見的，因而能夠引起世人的驚訝和贊嘆。西周重器大盂鼎和大克鼎，器形宏偉，器度厚重，兩鼎分別重一五三·五公斤和二〇一公斤，體現了製作者的智慧巧思和優秀技藝。

據統計，包括傳世和出土的青銅器在內，總數約有一萬件以上，其中帶有銘文的銅器約四、五千件。具有長篇銘文，有着重要文獻價值的青銅器，數量也比較多，就是一些銅器上的短銘，有時也具有特殊的文獻價值。一九七六年三月陝西臨潼出土的利毀，是目前所知西周王朝最早的一件銅器，只用了三十二個字，記載了武王伐紂的牧野之戰的時間和勝利經過，可與《書·牧誓》等文獻所載內容互相印證。河北平山出土的戰國時代中山王䀯墓的幾件銅器上的長篇銘文，可以排列出中山國王的世系，塡補史書記載的空白。陝西扶風出土的西周時代的史墻盤談到了昭王伐楚荆的事，使過去爲了是成王伐楚荆還是昭王伐楚荆而爭論不休的問題，迎刃而解。西周宣王時代的毛公鼎，內容頗似《尚書·文侯之命》，西周康王時代的大盂鼎，很像《尚書·酒誥》，結合銘文讀《尚書》，其校史、證史之功，自不待言。的確，有些銘文的史料價值甚至已經遠遠超過了文獻資料。

商周金文單字約共三五〇〇個，其中可釋字約二〇〇〇個，青銅器銘文的字體，一般稱爲大篆，許愼《說文解字·序》說：「郡國往往於山川得鼎彝，其銘即前代之古文」，可見許愼著《說文》就已經利用過銅器銘文的材料了。從商周金文的文字結構來看，它的構造方法，可用古代的「六書」來解釋，「六書」形聲字用聲符表音，可以造出大量新字，而金文比甲骨文用形聲造字的更多，可見金文在當時已經是一種相當進步的文字了。秦漢時代，銘文字體轉向小篆和隸書，這種變化，也完全符合漢字發展的規律。

早在北齊時代，顏之推根據隋開皇二年出土的秦代鐵稱權上面的銘文，發現並訂正了《史記・秦始皇本記》「丞相隗林」爲「隗狀」之誤，宋代以後，青銅器出土日多，一些學者開始對青銅器作系統研究，呂大臨作《考古圖》，王黼等編《宣和博古圖》，薛尚功撰《歷代鐘鼎彝器款識法帖》並作了釋文和考證，至今仍然是研究金文的重要參考資料。清代金石考據之學盛極一時，利用銅器銘文，證經補史，取得不少成績。吳大澂研究金文，考證出古代文獻中一些誤字，大都由於在金文中兩字形體相近，楷化以後混爲一字，形近致訛，這些研究成果，寫在他所著的《字說》一書中。後來孫詒讓所作《古籀拾遺》、《古籀餘論》、《名原》等，都是研究金文頗有影響的專著。王國維的《說斝》、《說觥》、《說盉》、《說彝》、《殷周制度論》等著名論述，更有許多卓越見解和重要發現。近現代關於青銅器研究的重要著作有郭沫若的《兩周金文辭大系圖錄考釋》、《青銅時代》、容庚的《商周彝器通考》等，而容庚的《金文編》則是查考金文的字典。

刻石記錄文獻起源也比較早，在銅器上刻鑄文字比刻石艱難，秦代以來，石刻漸漸取代了金刻，《呂氏春秋・求人》：「故功績銘乎金石」高誘注：「金，鐘鼎也；石，豐碑也」。可見當時已稱鐘鼎碑刻爲「金石」，石文價值不在金文之下，後人取以考證經史，便以金石並稱。

中國現存最早的石刻文字是「石鼓文」，在十塊鼓形石上，每塊各刻四言詩一首，內容是歌咏貴族畋獵遊樂生活，故也稱「獵碣」，所刻書體，爲秦始皇統一文字以前的大篆，即籀文，後代對其書法評價很高，唐代初年在天興（今陝西寶鷄）三時原出土，杜甫、韋應物、韓愈等，都有詩篇題咏，發現時文字已殘缺，根據歷史記載，宋代歐陽修所見僅四百八十五字，後人所見字數更少。清乾隆時別選貞石重新摹勒，便人拓印，於是石鼓文遂有新舊兩種拓本。

關於石鼓文製作時代，爭議較多，或謂周宣王時所作，或謂周成王時所作。南宋鄭樵因其文往往與秦器相合，指爲秦刻。他在《通志・金石略》中說：「三代而上，惟勒鼎彝；秦人始大其製而用石鼓，始皇欲詳其文而用豐碑，自秦迄今，惟用石刻。」概括了金石文字的變化發展情況。經過近代和當代學者進一步研究，公認石鼓爲秦刻石，但仍有文公、穆公、襄公、獻公諸說。現在十石文字大多剝泐，其中一石文字全部無存。原石現藏北京故宮博物院，郭沫若有《石鼓文研究》一書，足資參考。

秦始皇統一六國後巡行各地，刻石記功，共刻有嶧山、泰山、琅邪、芝罘、東觀、碣石和會稽等七石，字體均爲小篆。這些刻石大都湮沒，琅邪殘石殘存十三行八十七字，相傳爲李斯所書，字已漫漶，現陳列於中國歷史博物館。泰山刻石僅有數字，其餘嶧山等石刻，只有重摹本流傳。司馬遷將上述泰山、琅邪等刻辭收入〈秦始皇本紀〉，開創了以石刻文字爲史料的範例。

封建社會把整部的儒家經典刻在石版上，作爲標準讀本，稱爲「石經」，是從東漢末年開始的。

漢靈帝熹平四年（一七五），蔡邕有感於當時的經書輾轉傳抄，難免有誤，奏請刋刻石經，靈帝囑咐他用隸書把《周易》、《尚書》、《魯詩》、《儀禮》、《春秋》和《公羊傳》、《論語》七部書寫在石版上，刻成石經，立於首都太學門外，作爲經書的標準本。據史書記載，當時從全國各地趕來洛陽抄寫經文、校對文字、摹拓印本的人很多，太學門外每天都有幾百輛車乘，交通往往爲之阻塞。這部石經因爲刻於漢代熹平年間，又只有隸書一種字體，故稱「漢石經」、「熹平石經」、「一字石經」。

三國魏曹芳（齊王）正始年間（二四〇—二四九）用古文、篆書、隸書三種字體，刻了《尚書》、《春秋》兩部書，稱爲「魏石經」、「正始石經」或「三體石經」。

這兩部石經原來都立在洛陽城南太學講堂前面，原石有四十八塊，至永嘉年間有人所見只剩十八塊，經過歷代滄桑，遷徙破壞，片石不存，晚清以來，有一些漢魏石經大小殘石出土，散存各處，稍稍拓印流傳。

唐文宗開成二年用當時風行的楷書，刻了十二部儒家經典，立在長安太學。（清康熙七年補刻《孟子》，「十三經」始全）這部石經，從唐文宗大和七年（八三三）始刻，到開成二年（八三七）刻成十二經經文。通常稱爲「唐石經」、「開成石經」，從開雕的年代算起，又稱「大和石經」。

「開成石經」對後代影響也很大，五代雕版刻印經書，就以它作爲依據。時至今日，許多石經都已殘缺，它還巍然獨立，完整地保存在西安碑林中。

自從雕版印刷事業日益發展以後，石經的作用相對下降，雖然五代時刻過「蜀石經」（又稱「廣政石經」）；北宋時刻過「嘉祐石經」，用篆、隸兩體書寫，亦稱「二字石經」；南宋時刻過「宋高宗御書石經」；清乾隆間刻了「十三經」，它們無論在文字上、藝術上、文獻史料的價値上，都不能與前面敍述的三部石經相提並論。

除石經以外，歷代墓志、碑文的拓本很多，也是保存文獻、考證史傳、增補遺聞的重要資料。把石版作爲記錄文獻的材料，捶拓下來，就是一篇篇文章，從這個角度說，石刻又是雕版印書的前驅。

(三) 簡牘

把竹簡木牘作爲書寫文字、記錄文獻的材料，始於何時，現在還難以考定。在商代青銅器上，常見「册父乙」「册父丁」的銘文，《尙書・多士》說：「惟殷先人，有典有册」，金文「册」字很像竹簡的編綴形式，「典」字則像置「册」於几上，可見商周之際已有簡册，但所見出土簡牘，最早是戰國時期，從來還沒有發現過春秋時代的竹木簡。

古代把書寫的狹長竹片，稱作「簡」，把木板稱作「牘」，也稱爲「方」；編聯諸簡稱爲「策」。《儀禮·聘禮》說得更具體，「百名以上書於策，不及百名書於方」。鄭玄注：「古曰名，今曰字。」一百字以上寫在策上，不到一百字就寫在木版上。《文選·晉·杜預〈春秋左氏傳〉序》：「諸侯亦各有國史，大事書之於策，小事簡牘而已。」唐呂向注：「大竹曰策，小竹爲簡，木版爲牘」。簡牘兩字，析言之有竹片、木版之分，混言之則指書牘等文獻。《禮·中庸》：「文武之政，布在方策。」方策即方册，都是這種用竹木寫成的書籍。實際上，古代正式的書，都用簡策，木牘只是作爲竹簡的輔助材料，一般用來記錄短文。古人通信，常用一尺長的木牘書寫，故書信又稱「尺牘」，上面再加上一塊木片，寫收信人姓名，稱爲「檢」，是信封的起源。

關於簡牘的製作方法，東漢王充《論衡·量知》篇有比較詳細的記載：「截竹爲簡，破以爲牒，加筆墨之跡，乃成文字。大者爲經，小者爲傳記。斷木爲槧，析之爲版，力加刮削，乃成奏牘。」就是把竹截爲竹筒，剖成竹片，然後用筆墨書寫文字。至於版牘，也是先鋸成木段，剖成版片，再加刨治刮削，經過精細的打磨，使之平滑，成爲書寫版。竹簡在書寫之前，還得將竹片上的青皮刮去，把竹片裡的水分烘乾，才能寫字，並可防止虫蠹，這叫做「殺青」，也稱「汗簡」。劉向《別錄》說：「殺青者，直治竹作簡書之耳。新竹有汁，善朽蠹，凡作簡者皆於火上炙乾之，陳楚之間謂之汗。汗者，去其汁也。」（據《初學記》卷二十、《太平御覽》卷六百零六引）後代稱著作寫成爲「殺青」，其義本此。

古代製簡，都是就地取材，邊郡地區不產竹，故甘肅、內蒙發現的簡，絕大多數都是木質的；湖北、湖南、山東、江蘇出土則大部分都是竹簡。製簡的工具，有銅削刀、刻刀、鋸、小錛等物，河南信陽長台關一號墓出土的文具箱裡發現過這些東西，還有毛筆、筆筒、空白簡等，無疑是一套製作和書寫竹簡的工具。此外，在湖南長沙五里牌、仰天湖、楊家灣楚墓出土竹簡時，也都有毛筆伴出。據古文獻記載，簡文有墨書和漆書兩種，迄今所見，都是用毛筆蘸墨書寫的，漆書從未發現。竹簡上的文字，書寫有誤，可以削去墨跡再寫，河南信陽出土楚簡，有的上面有刀削痕，殘筆尚隱約可辨。

在竹簡上寫字，字數也不一樣，少的只有幾個字，多的有幾十個字，超過一百字的則又較罕見。武威《儀禮》簡，每簡多至六十字或八十字，湖北江陵望山二號墓出土竹簡也寫有六十餘字，多的達七十三字。可見《漢書·藝文志》所說的每簡二十二字或二十五字，只是就幾種具體書籍說的，未必是通例。

簡的長短，古書記載，似有定式，〈聘禮〉賈疏引鄭注〈論語序〉說抄寫經書的「《易》《詩》《書》《禮》《樂》《春秋》策皆二尺四寸，《論語》八寸策，《孝經》一尺二寸策。」武威甲本《儀禮》木簡和丙本《喪服》經竹簡同長，約爲五五·五—五六厘米。若以二三·三厘米相當於漢尺一尺計算，這批經書的簡牘正合二尺四寸（五五·九二厘米）。然而其他地方出土竹簡的長度並不盡如上述。湖北望山的雜事札記簡長六〇厘米，「遣策」簡長六四厘米；湖北隨縣曾侯乙墓的簡竟長達七二—七五厘米，可見當時列國簡策的長度，也未必有統一規定。從出土實物看，同一部簡冊中的每一根簡的長度則是相同的，而許慎《說文解字·册部》根據篆文「冊」(册)字的形象，釋爲「象其札一長一短，中有二編之形」。「一長一短」之說，與出土實物的形制不符，似難據信。把簡牘編聯成册，簡上的文字，有的是先編後寫，也有的是先寫後編，至於編聯的道數(即用幾道繩)，一九四九年後發現的戰國楚簡，多數用二編，其中信陽竹簡用三編，望山一號墓簡用四編。此外，甘肅武威出土的「日忌」小簡用兩編，「王杖」簡用三編，《儀禮》《服傳》長木簡用四編，還有一些更長的木簡用五編。《說文》《獨斷》所說編簡用二編，指的可能是通常情況。三編至五編，文獻記載所無，但却是某些簡册實際上所需要的編數。增加編數，旨在固定，已有出土實物可資驗證。

關於編聯所用的繩，相傳汲冢《穆天子傳》用素絲編，襄陽楚冢《考工記》用青絲編。從近代出土竹簡實物上留下的編聯痕跡判斷，係用帛帶和絲綸，有的竹簡還在編組之處刻有三角形小缺口，使絲綸固定，不易滑脫移動，故編聯的繩必須柔而細，才便於來回伸卷，因而聯想到《史記·孔子世家》所說的「韋編三絕」的「韋」未必是牛皮繩，自一九四九年來出土二十多批簡牘也從來沒有發現過「韋編」的痕跡，韋、緯音同，「韋編」是否指竹簡上的「橫編」，還有待於進一步研究。

簡牘編聯成册以後，要收卷起來，用最後一枚簡作爲軸，從尾部往前反卷，第一枚簡的背面在外邊，加上篇題，便成爲一卷書的形式，武威醫簡中還發現兩枚空白簡，正面背面都未書文字，這就是簡策制度中所稱的「贅簡」，亦即簡册開頭的第一第二簡，它很像現代書籍的扉頁和封面。成卷的簡册，等到發明了紙，轉移成爲卷軸的紙本，再發展爲宋代各種形式的裝本，還或多或少保存着古代簡册形式遺留的痕跡。

簡牘是古代記錄文獻的材料，同時也是研究我國古代簡牘制度和書史的重要依據。關於古代的簡牘制度，可參看王國維《簡牘檢署考》、黃文弼《羅布淖爾考古記》第四編第九章「釋簡牘制度及書寫」。

古代發現竹木簡牘，見於史書記載的有過多次。漢景帝時魯恭王壞孔子舊宅，得戰國竹簡，見《漢書・藝文志》。漢宣帝時河內女子於老屋得古文書，見《論衡・正說篇》。晉太康三年（公元二八一年）汲郡人盜發魏王古墓，發現簡書數十車，整理出古書七十五篇十六種，其中《竹書紀年》《穆天子傳》至今仍然是研究古代歷史的重要資料。《晉書・束晳傳》對這次發現竹簡的經過及簡書種類曾有詳細記述。此外，南齊、北周和宋代崇寧、政和年間相傳都或多或少發現過。但所有這些，原物早已蕩然無存。

近世以來，自一八九九年（清光緒二十五年）新疆塔里木河出土晉代木簡以後，到一九四九年五十年間，發現竹木簡並見於報導的共有七次。其中以一九一四年發現敦煌漢簡、一九三〇年發現居延漢簡、羅布淖爾漢簡影響最大。羅振玉《流沙墜簡》，羅振玉、王國維《流沙墜簡考釋》，中國科學院《居延漢簡甲編》、黃文弼《羅布淖爾考古記》分別對上述三批簡牘作了著錄、拓印、考釋和研究。

甘肅省額濟納河流域，古代泛稱「居延」或「弱水流沙」，從漢武帝時代起，就在這裡建築烽火台，屯戍部隊，防御西邊的羌族兼防北邊的匈奴，由於地處沙漠，氣候極其乾燥，地下文物易於保存，一九三〇年，西北科學考察團曾在這個地區發掘西漢木簡一萬餘枚，獲得大量關於烽燧制度、侯官組織、兵制、屯田制以及河西經濟生活等的珍貴資料，其中最有價值的是發現《永元兵器簿》這一重要簿册。它由七十七枚木簡組成，內容是關於烽火台兵器現狀的報表。這份簿册，先用墨筆把一枚枚單簡寫好，然後再用兩道麻繩編連成册，卷起存放。這是我國首次發現關於簡册制度的實物資料。抗日戰爭期間運去香港製版影印，香港淪陷後，書版全毀，這批珍貴的簡牘，遂爲美國掠去，現存美國國會圖書館。一九七二—一九七六年，我國考古工作者對居延漢代遺址進行了科學發掘，出土漢簡二萬多枚，絕大部分是木簡，竹簡極少，爲我國歷來發現簡牘最多的一次。初步整理出七十多個完整和比較完整的簿册，對研究漢代歷史和文檔制度，具有重大意義。

自一九四九年以來，先後在湖北、湖南、河南、山東、江蘇、江西、甘肅、新疆等地發現竹木簡二十餘批共計二萬八、九千枚。其中湖南長沙、河南信陽、湖北江陵出土的戰國楚簡、湖北雲夢睡虎地出土的秦代法律文書簡、甘肅武威出土的漢代《儀禮》簡和醫方簡、以及山東臨沂銀雀山出土的《孫子兵法》《孫臏兵法》等兵書簡，都是考古史上的重大發現，具有很大的文獻價值和歷史意義。

出土竹簡時代最早的是戰國時的楚簡，從一九五一年到一九六五年先後在湖南長沙五里牌、仰天湖、楊家灣、河南信陽長台關、湖北江陵望山的六座墓葬出土過七批八百餘枚竹簡，經過整理拼復，綴合爲五百三十多枚。內容包括竹書、雜記、遣策及其它四類，遣策所占比例最大。《儀禮·既夕禮》：「書遣於策」鄭玄注：「策，簡也；遣，猶送也」入葬時把親友所送禮物寫於簡上，隨之下葬，有時把墓主人生前喜愛之物也包括在內，出土的這批遣策，記述了一千餘件隨葬品的名稱和數量，爲研究戰國中晚期的楚國歷史、社會經濟、手工業生產情況提供了重要資料。七批楚簡共有四千二百餘字，其數量遠遠超過楚地出土的金文。戰國文字，上承商周甲骨文、金文，下啓秦篆和隸書，是文字發展史上的重要轉折點，楚簡上的文字，具有不同於商周字體和其他各國文字的獨特風格，塡補了戰國時期竹簡文字的空白。這七批楚簡的形制及其編聯形式，更爲研究古代簡策制度提供了可貴的實物例證。

湖北雲夢睡虎地秦墓於一九七五年底出土秦簡一千一百多枚，大部分是秦的法律和文書，有秦法律三種、秦治獄案例和《南郡守騰文書》、《爲吏之道》《日書》等等，還有一部類似歷史年表的《大事記》。

我國古代法律，能夠完整保存下來的，以唐律爲最早。隋代以前的律令，只有後人輯錄的一些零碎篇章，著名的「秦律」又久已佚失無存，這次睡虎地發現的三種秦法律竹簡，就更顯得珍貴！秦治獄案例，大部分是關於審訊、調查及法醫檢驗的具體記錄，比一二四七年宋慈所著聞名世界的《洗冤集錄》還要早一千五百多年。

《大事記》一卷，分寫在五十三支竹簡上，按年繫事，記載了自從秦昭王元年（公元前三〇六年）到秦始皇三十年（公元前二一七年）將近一百年間的大事，據考古工作者判斷，這批竹簡是在秦始皇三十年陪葬埋入的，司馬遷在撰述《史記》時肯定沒有看到過這份重要材料。因此可以用它來正《史記》、補《史記》，解決這段史實中的矛盾和疑難問題，塡補上述這一段歷史時期文獻記載的缺略。

甘肅武威磨咀子六號漢墓一九五九年出土的竹木簡，是一部重要的儒家經典，分三個部分，甲本是七篇《儀禮》，木簡；乙本是一篇《服傳》，也是木簡；丙本是竹簡寫的《喪服》經。今本《儀禮》是鄭玄注、賈公彥疏的雜糅今文古文的阮刻《十三經注疏》本，而武威甲本《儀禮》很可能是后蒼、慶普傳下的沒有被鄭玄打亂家法以前的今文禮，武威丙本則代表未附傳文以前更早的一個本子。這個西漢時代寫本的發現，爲研究漢代經學和《儀禮》的版本、校勘提供了重要的啓示和第一手的資料，有着重大的學術價値。這批簡册，墨色如新，首尾俱全，保存了原書的篇題、尾題、頁數和次第，使我們可以看到近於原式的西漢九篇經牒，對於復原漢代的簡策制度提供了具體的例證。此外，甲本《儀禮》有六篇分了章，用圓點或圓圈作爲章的記號，這部有着西漢章句標識的經本，是不可多得的寶貴材料。

甲乙丙三本九篇，共存二萬七千四百餘字，較之熹平石經七經殘存八千數百字，多了將近二萬個字，而且都是眞正漢代通行的隸書，它的文字結構和《說文解字》並不完全相同，可以用它對照研究漢代其他器物上的隸書。同時從這裡我們又可以知道《說文》一書總結了先秦以來的古文字，但它並不完全代表漢代眞正通用的文字，只有這些從漢墓出土的漢代簡策，才能使我們看到西漢經師認可的「今文」。

武威磨咀子十八號漢墓出土的鳩杖上繫有十枚木簡，上面載有漢成帝建始二年（公元前三一年）的詔書，「七十受王杖者，比六百石，入宮廷不趨，……有敢徵召侵辱者，比大逆不道。」這便是著名的「王杖」簡，據此可以考知漢代尊老賜杖的制度。

在武威《儀禮》簡出土十三年之後，也就是一九七二年，武威旱灘坡漢墓又出土了大批醫藥簡牘，計有九十二枚，簡文中列藥物一百種，比較完整的醫方三十多個，可以說基本上是一部古老的方書。一九四九年以前《流沙墜簡》中醫方簡不過五、六枚，《居延漢簡》中亦僅存治傷寒簡一枚，這次出土的比以前多了幾十倍，這不僅是考古界的重大發現，在我國醫學史的研究工作上，也有着極爲重要的意義。我國最早的醫方書，當推漢代張仲景的《傷寒雜病論》，但原書早經散佚，傳世的是後人整理的輯本。因此，武威醫簡應是我國目前發現最早的比較完整的古代醫方文獻。簡上的書體基本上是隸書，有十二枚簡已作章草體，考古工作者認爲武威醫簡的書寫時間當在光武或稍後的明、章帝時期，距今約一九〇〇餘年。

這批木簡，分上中下三編編聯成册，先編後寫，有首簡，有尾題，似爲一篇完整的簡書。

山東臨沂銀雀山西漢墓一九七二年四月出土竹簡四千九百多枚，多用隸書書寫，其中絕大部分是兵書，如《孫子十三篇》《六韜》《尉繚子》等，特別可貴的是發現了失傳已一千七百餘年的《孫臏兵法》，此外，還有《漢元光元年曆譜》等佚書及《管子》《晏子》《墨子》殘簡。

《孫子兵法》和《孫臏兵法》的同時發現，解決了這兩部書歷史上長期以來懸而未決的問題。關於孫武和孫臏的事跡，司馬遷在《史記·孫武吳起列傳》裡記載得很清楚。孫武生於春秋末期，孫臏生於戰國，兩人先後相距一百餘年，都各有兵法傳世。班固《漢書·藝文志》著錄了《吳孫子》和《齊孫子》（即《孫臏兵法》）兩部書。曹操注《孫子十三篇》未論及孫臏，《隋書·經籍志》上孫臏亦未見著錄，可能孫臏的著作早已亡佚。後來有不少人提出疑議：有的認爲《孫子兵法》出於後人僞托；也有懷疑孫武、孫臏原是一人；有的認爲現存《孫子兵法》源出孫武，完成於孫臏；甚至有人斷定《孫子兵法》十三篇爲孫臏所作，否定歷史上孫武的存在；也有人認爲《孫子兵法》是曹操删削補充重新編定的。眞是衆說紛紜，莫衷一是！這次《孫子兵法》和《孫臏兵法》竹簡同時出土，實爲考古界的驚人發現，足以釋千載之疑！同時也證明現存《孫子兵法》是孫武原著，其中未曾雜入孫臏的作品。

《孫臏兵法》殘簡經初步整理，有二百二十三簡，五千九百八十五字，蘊含的史料十分豐富，其中有的記載，可以訂正《史記》的謬誤，如「馬陵之戰」的結果，《史記》裡的〈孫吳列傳〉〈魏世家〉〈田齊世家〉都說是殺龐涓、虜太子申；《孫臏兵法》殘簡說「禽（擒）龐涓」，並以此爲篇題之名，可見龐涓在「馬陵戰役」中是當了俘虜的，這可與《戰國策》「擒龐涓」的有關記載相印證。

《六韜》見於《漢書·藝文志》，但自宋以來，却有不少人懷疑它是僞書，或說它「其辭俚鄙，僞托何疑」（姚際恒《古今僞書考》）；或說它「大抵詞意淺近，不類古書」（《四庫提要·子部·兵家類》）；《尉繚子》只見於《漢書·藝文志》，清代譚獻在《復堂日記》中說：「《尉繚子》世以爲僞書，文氣不古，非必出於晚周」；《書目答問》甚至說：「《六韜》僞而近古，《尉繚子》尤謬，不錄。」現在漢人手寫的《六韜》和《尉繚子》殘簡同時出土，證明這兩部書在西漢前期就已廣爲流傳，絕非後人僞作。

同時出土的《漢武帝元光元年曆譜》，較《流沙墜簡》著錄的漢元康三年（公元前六一年）曆譜早七十餘年，是現在發現的我國最早、最完整的曆譜，它所載的朔晦干支以及其他內容，可以幫助我們校正《資治通鑒目錄》《歷代長術輯要》《二十二史朔閏表》等的遺誤。

根據一九八五年一月最新報導，不久前湖北江陵張家山的幾座漢墓中發掘出一千六百多枚西漢早期竹簡，計四萬餘字。簡文爲墨寫隸體字，當爲漢高祖至漢文帝時代的遺物，距今約兩千年。竹簡內容分爲律令、《奏讞（yan音驗）書》《蓋（闔）廬》《算數書》《脈書》《引書》《律譜》《日書》遺策九個部分。

律令的書題爲《二年律令》（即呂后二年）包括二十多種律文，集中了漢律的主體部分，是這次最爲珍貴的發現。它比雲夢出土秦簡的內容更爲充實和完整。《奏讞書》是一部關於治獄疑難案例的滙編，《脈書》主要論述人體內各類脈的循行和所主疾病，它可能是《內經·靈樞·經脈》的一種祖本，《算數書》則是一部偉大的數學巨著，它早於我國現存最古的數學著作《九章算術》。這批重要文獻的出土，已引起學術界的高度重視。

竹木簡作爲記載文獻的材料，比起甲骨、金石來具有取材容易，製作書寫方便的優越性，所以在一定的歷史時期裡，成爲主要的書寫材料，可是一枚簡牘容納的字數畢竟有限，而保存、移動、閱讀都很不方便。據《史記·秦始皇本紀》記載，秦始皇「衡石量書」每天批閱的文件用衡器稱取一百二十斤，〈滑稽列傳〉記載東方朔初入長安時，給漢武帝上奏：「凡用三千奏牘，公車令兩人共持舉其書，僅然能勝之。」可見是非常笨重的。與竹簡同時的還有縑帛，所謂「著於竹帛」，就是指竹簡和帛書而言，近半個世紀以來，戰國和西漢的帛書，都有原物出土，是考古工作的重大發現，但縑帛價值比較貴，不是一般人都可以使用的，西漢時期發明了紙，東漢蔡倫改進了造紙術，「竹帛」逐漸為紙所代替，竹簡作為記載文獻的主要材料，經歷了一千多年的時間，終於完成了它的歷史使命。

四 縑帛

殷周以來，用甲骨、金石作為記錄文獻的材料，經歷過一個很長的歷史時期。甲骨不易多得，金石笨重費工，於是漸漸改用簡牘和縑帛。先秦文獻中常有「竹帛」並提的記載，一九七三年湖南長沙馬王堆三號漢墓出土帛書、帛畫的同時，還出土了六百多枚竹簡，這說明在紙張發明以前，多是簡帛同用。可是簡牘體積大，容字少，一篇文章，要用很多簡牘，使用起來，仍然感到繁重。縑帛輕薄柔軟平滑，易於運筆及舒卷，既可寫字，又可作畫繪圖，還可以根據文字長短截斷，比簡策方便得多，確是一種很好的書寫材料。

根據文獻記載，春秋戰國時期，帛書已經相當流行，北魏賈思勰《齊民要術》曾引用過范蠡的話：「以丹書帛，致之枕中，以為國寶」。《史記·魯仲連鄒陽列傳》記載齊國田單攻聊城，燕將固守，仲連「乃爲書，約之矢以射城中，遺燕將」。《史記‧高祖本紀》：「於是樊噲從劉季來，沛令後悔，恐其有變，乃閉城固守，……劉季乃書帛射城上」。這些都說明戰國秦漢時期，帛書的使用已相當普遍，不過，縑帛是絲織品，價格較高，所以當時的作者，往往把文字的初稿，寫在光滑的白絹或版牘上，改定以後，才寫上縑帛。應劭《風俗通義》說：「劉向爲孝成皇帝典校書籍二十餘年，皆先書竹，改易刊定，『可繕寫』者以上素也。」（《太平御覽》卷六〇六引）。西漢末年，揚雄調查各地方言，也是把調查來的材料先記錄在「油素」（光滑的白絹）上，便於塗抹改動，修改妥當後，再寫上縑帛的。（見《古文苑》十，舊題漢揚雄〈答劉歆書〉）。

由於帛書不如竹簡普遍，埋藏在地下又容易腐朽，所以近現代考古工作中出土的竹簡比較多，發現的帛書則比較少，我們對帛書的知識比較缺乏。一九四二年長沙子彈庫出土的戰國帛書早已流散國外，一九七三年馬王堆漢墓出土的大批西漢帛書，才豐富了我們對縑帛的認識，拓開了我們的眼界。

戰國楚帛書，過去又稱作「晚周繒書」（按：繒，絲織物的總稱，古謂之帛，漢謂之繒）一九四二年九月出土於湖南長沙東郊子彈庫的紙源冲。在原墓葬中用竹笈貯藏，折疊端正，中央折紋處稍有損壞，書係絲質，帛絲的經緯並不勻稱，有粗有細，因入土年久，已呈深褐色，原件縱長十五吋，橫長十八吋，毛筆墨書，連同邊上的文字總共九百餘字，字若蠅頭小楷，筆畫勻整。帛書四圍，用朱、絳、青幾色顏料，繪出各種奇特的神怪圖像。

據考古工作者考訂，楚帛書的字體與書寫款式和長沙五里牌、仰天湖、信陽長台關一號墓所出竹簡以及鄂君啓節等楚器上文字的風格相似，因而可以知道它是楚國的書法；結合出土墓葬形制和隨葬器物判斷，埋葬於這座墓葬中的帛書，其年代當爲戰國中期或稍早。

楚帛書文辭多古奥難通，間或亦有詞藻絢麗、暢達易曉的文句，有點近於《詩》《書》《左傳》《楚辭》的體裁、風格，爲研究古典文學遺產的重要材料之一。帛書的圖像和文字內容，包括了流行於楚國的傳說和神話，充滿着天神、地祇和鬼的宗教思想，很多地方接近富於南方色彩的《山海經》和南方古老的卜筮之書《歸藏易經》，反映了戰國時期楚人思想、信仰的一些情況。用這種帛書隨葬，可能是當時的一種風尚，其作用無非是呵護死者的靈魂，因此，這份帛書實質上是一種巫術性的東西。但是，剝去迷信的外衣，還可以看到當時人們對自然現象和社會現象的揣測和理解。

楚帛書中有關天體意識的部分，頗值得注意研究。在我國現存古書中，雖有不少關於天文星象、四時月令的記載，但這些書本文獻，無疑是經過後人無數次的整理、補充和修正以後的間接傳世本，而這份楚帛書則是戰國楚人直接的手寫本，因此是值得珍視的第一手材料。可惜我們今天所能看到的只有幾種不同的摹寫本和照片摹本，原件早已在一九四六年爲美國柯克思掠奪而去，諱莫如深地密藏於耶魯大學圖書館。

縑帛除了用來記載文字以外，還可用以繪畫。楚帛書出土稍後幾年，長沙陳家大山又出土了一幅「晚周帛畫」，畫着一個兩手作合掌狀的細腰女人，還有鳳、夔等動物圖像。繪製的技巧比較古拙。一九七三年五月，湖南省博物館又對上述長沙子彈庫楚帛書的原出土墓葬，重新進行科學的發掘和清理，從這次發掘出土的文物中，又獲得了一件稀有的藝術珍品「人物御龍帛畫」，畫爲長方形，整個畫幅因年久而呈棕色。畫的正中爲一有鬍鬚的修長男子，神情瀟洒自若，高冠長袍，腰間佩着長劍，側身直立，手執繮繩，駕馭着一條巨龍，龍頭高昂，龍尾翹起，龍身平伏，略呈一舟形。這幅帛畫的內容，當爲乘龍升天的形象，反映了戰國時盛行的神仙思想。楚國是當時巫風特別盛行的地方，王逸《楚辭章句・九歌》說：「昔楚國南郢之邑，沅湘之間，其俗信鬼而好祀。」四十多年前出土的長沙戰國楚帛書，其後長沙陳家大山發現的晚周帛畫和這幅人物御龍帛畫，爲古代的文獻記載，提供了可信的物證。

人物御龍帛畫，技巧已相當成熟，用筆是單線勾勒，綫條雲流風動，毫不板滯，人物寫實，能表現一定的神情，它標誌着戰國時期繪畫藝術的傑出水平。除了它本身的文獻價值以外，也是研究中國美術史的珍貴資料。

馬王堆三號漢墓，是軚侯利蒼的兒子的墓，一九七三年十二月從這個墓葬裡出土了二十多種十二萬多字的帛書，是我國考古學界的空前的驚人發現，其中有不少失傳一兩千年的古籍。包括《老子》甲本、《老子》乙本，以及《老子》甲本卷後無篇名的四篇佚書，《老子》乙本卷前的《經法》《十大經》《稱》《道原》四種文獻，歷來都沒有傳本；還有《周易》、《易說》以及類似《戰國策》、相馬經、醫經方、天文星占等古籍，另外還有用帛繪製的導引圖、地圖、駐軍圖、街坊圖、帛畫等等。根據同時出土的紀年木牘，斷定該墓下葬的年代是漢文帝十二年(公元前一六八年)說明這批帛書在地下已經沉睡了二千一百五十多年了。馬王堆帛書爲研究我國古代歷史、哲學以及天文、地理、軍事、醫學等各個方面提供了極爲豐富的重要資料。帛書中的佚書,大部份沒有標明篇題,內容還有待進一步考訂研究,從史料的角度看,有的古籍,不僅對我們今天來說是佚書,甚至東漢時期的班固、鄭玄等也未必見到過。

這些帛書,所用的都是生絲,以平紋織成,條紋很細密、均勻,可以看出當時絲織的技術已經很高,這種帛也就是後世所說的絹。帛書中有一種是寫在通高四十八厘米的寬幅帛上,折疊成長方形,放在漆盒的格子裡,另一種通高二十四厘米,卷在長條形木片上,粘連破損比較嚴重。帛書大部份用朱絲欄墨書,也有一部份未劃行格,字體既有小篆、也有隸書,其中簡體字、同音假借字非常普遍。據考古工作者研究,這批帛書的書寫年代,約在從漢高祖初年到漢文帝初年這一段時間之內。

帛書中的《老子》《周易》等書,和今本頗有出入的地方,可以作爲校勘的重要依據,其中《老子》甲本,字近篆體,不避漢高祖劉邦諱,推算抄寫年代最遲在漢高祖時期,約公元前二〇六年到公元前一九五年之間;《老子》乙本字爲隸體,書中避劉邦諱,將「邦」字改爲「國」字,而不避惠帝劉盈諱,抄寫年代可能在惠帝或呂后時期,約公元前一九四年到公元前一八〇年左右。

兩種《老子》寫本大體相同,但與今本對照,章次有些與今本不同,文字亦有不少出入,上下篇次序則與傳世的通行本相反，即《德經》在前，《道經》在後，而與《韓非子》〈解老〉〈喻老〉兩篇所引《老子》本文次序一致，或者西漢通行的古本就是如此。

帛書《周易》原無篇題，包括「繫辭」在內，約五千二百字，卦辭和爻辭雖與今本基本相同，但六十四卦的排列次序完全不一樣，今本分上下經，上經三十卦，下經三十四卦，帛書則不分上下經，保存了比較簡單的原始形式。

帛書《戰國策》共二十七章，一萬一千多字。其中有十一章內容見於今本《戰國策》，但文字頗有異同。另外十六章是久已失傳的佚書。西漢末年劉向編輯《戰國策》時，未必見過此本。以帛書和今本《戰國策》對照，可以作爲校勘的重要依據。今本〈燕策・二〉「燕說齊章」，與帛書文字出入較大。又〈趙策・四〉「趙太后新用事」章，帛書作「趙太后親用事」；「左師觸讋願見太后」，帛書作「觸龍言願見太后」。另外，帛書本《戰國策》還保存了蘇秦的一些書信和談話內容，可以糾正有關蘇秦歷史的錯誤記載。這些都是研究戰國歷史的重要文獻資料。

天文星占方面的佚書一種，約六千字，無篇題。內容主要是木、金、水、火、土五星占及五星行度。書中根據實際觀測，記錄了從秦始皇元年（公元前二四六年）到漢文帝三年（公元前一七七年）七十年間五星在天空中運行的位置，並推算出了它們的公轉周期。這是我國至今發現的最早的天文學著作。在五星行度表和另一種佚書的干支表中，都出現第一次農民起義軍的「張楚」年號，值得珍視。

出土的帛地圖，上面標有山脈、河流、城鎮、道路，並且寫出地名、位置、距離、方位等等，反映了西漢初期我國地圖繪製方面的成就。值得一提的，還有幾幅帛畫，在美術史上尤有較高的研究價值。《史記》《漢書》裡雖有不少關於漢以前描繪人物肖像的記載，但是罕有實物遺留下來。上述長沙出土的戰國帛畫是士大夫畫像，馬王堆西漢帛畫是軑侯的家屬畫像，這些帛畫，都是以當時的人作爲描繪對象，服飾、裝束、容顏、體態都有現實根據，這些帛畫的出土，爲我們了解戰國秦漢時期的繪畫藝術，提供了可靠的有價值的實物例證。

「著於竹帛謂之書」，簡册和帛書在漢代是書籍的主要形式，就是在紙張發明以後的一段時間裡，縑帛仍然在繼續使用。東漢韋誕奏稱蔡邕「能兼高、斯之法，非紈素不妄下筆。」（《北堂書鈔》卷一百零四引《三輔決錄》）這是以書寫帛書提高自己的身份。縑帛價格昂貴，一般人無法隨便購買，所以崔瑗給葛元甫的信上就說：「今遺送《許子》十卷，貧不及素，但以紙耳。」（引文出處同上）三國時，曹丕把創作的《典論》和詩賦，用白絹寫一份送給孫權，同時用紙另抄一份，送給張昭。（見《三國志·魏志·文帝紀》裴松之注）可見在距離紙的發明已有三四百年以後的東漢三國時期，帛書仍在流行，而紙張也就漸漸成爲常用的書寫材料了。隋、唐以後，除了畫家、書法家以外，一般人便不再使用帛書。

關於紙的發明，也有一個相當長的過程。在先秦文獻裡，早就有過一些關於「絮紙」的記載，這種以縑帛或絲纖維交結成的薄絮片，和以後的植物纖維紙還有着較大的區別，但我國的造紙術無疑是從這種薄絮片發展而來的。《莊子·逍遙遊》：「宋人有善爲不龜（同

「鞹」）手之藥者，世世以洴澼絖爲事。」洴，浮的意思；澼是漂洗；絖即綿絮。洴澼絖就是在水上漂洗綿絮。漂絮時，有些細纖維素蕩存於筐上，晒乾後成爲比較平滑的薄片，即所謂「絮紙」。「紙」的本義，本來就是指漂洗蠶繭時附着於篋上的絮渣，後來以絲爲原料的縑帛也稱爲紙。《後漢書・蔡倫傳》，「自古書契多編以竹簡，其用縑帛者謂之紙。」在這之前，《漢書・孝武趙皇后傳》曾記載：「發篋，中有裹藥二枚，赫蹏（古「蹄」字）書。」孟康注：「染紙素令赤而書之，若今黃紙也。」應劭注：「赫蹏，薄小紙也。」這裡的「赫蹏書」，實際上還是指的縑帛，可知在漢代「紙」是縑帛的別名，又稱「幡紙」。（見《初學記》二一引《漢紀》及王隱《晉書》）直到採用麻頭、敝布、樹皮等等製成植物纖維紙以後，別造「帋」字，從「巾」，才成爲書寫用紙的通稱。

長期以來，人們一直認爲東漢蔡倫（？—一二一年）是紙的發明者。這種說法主要來源於范曄《後漢書・蔡倫傳》的記載：「蔡倫字敬仲，桂陽人也……造意用樹膚、麻頭及敝布、魚網以爲紙，元興元年（公元一〇五年）奏上之，帝善其能，自是莫不從用焉。故天下咸稱『蔡侯紙』。」自此以後，有的著作，甚至把蔡倫向漢和帝獻紙的那一年作爲紙誕生的年份。可是，近五十年來，在我國新疆、內蒙、陝西等地先後多次出土了漢紙殘片，經過化驗和鑒定，大量實物，把我國植物纖維紙的發明，上推了二百餘年，從而有力地糾正了《後漢書》蔡倫「造意」作紙的錯誤記載。紙的發明者，應該是西漢時期無數勤勞、智慧的勞動人民。

早在一九三三年，黃文弼在新疆羅布淖爾漢代烽燧亭故址中發掘出一片古紙，白色，約4×10厘米，其形狀爲方塊薄片，四周不完整，質甚粗糙，紙面露有麻筋。根據同時出土的黃龍元年（公元前四九年）木簡，推斷爲漢宣帝（公元前七三—前四九年）時的遺物。這一發現，關係到植物纖維紙的發明時間問題，可惜發現不久，這片古紙就被毀於日本軍國主義發動的中日戰爭的炮火，無法再作深入的研究。一九五七年五月西安市郊灞橋古墓發掘出米黃色的西漢古紙，長寬差不多10厘米，出土時已裂成一些碎片，取樣化驗結果，確認爲主要爲大麻纖維所造，間亦混有較少量苧麻。考古工作者根據古墓形制和出土文物特徵，斷定該墓及隨葬文物當不晚於西漢武帝（公元前一四〇——前八七年）時期，距今已有二千多年。西漢灞橋紙的發現，是古紙研究的一個大收獲。紙是中國四大發明之一，灞橋紙可能是世界上現存最早的植物纖維紙，現在分別珍藏在中國歷史博物館和陝西省博物館。

一九七二——一九七四年甘肅居延肩水金關漢代遺址中又發現兩種麻紙。其中一種色白，質薄而勻，細密堅韌，一面平整，一面稍毛糙，含有大麻纖維。同一處出土的簡牘最晚年代是漢宣帝甘露二年（公元前五二年）；另一種麻紙呈暗黃色，似粗草紙，含麻筋、綫頭和碎麻布塊，質地稀鬆，出土地層屬西漢平帝（公元一—五年）以前。一九七八年十二月陝西扶風縣一處西漢窖藏中出土三片可能是漢宣帝時的麻紙。這些新的地下發現，爲我國在西漢時期就有了植物纖維紙，增添了更多的實物例證。

「縑貴而簡重，並不便於人」，紙是一種價廉易得的書寫材料。紙的發明，無疑是書寫材料史上的創擧，也是人類歷史上劃時代的大事。中國發明的造紙方法，經過六七百年以後，流傳到中亞，後來又傳播到歐洲，爲世界文化的發展，起了不可估量的作用。

（原刊《語文導報》總第九九—一〇二期，一九八五）

三、辨僞簡論

考辨古籍的眞僞，是文獻學的一個重要方面，也是古籍整理、史料鑒別的一項基礎工作。辨僞的任務，包括對古籍名稱、作者、年代眞僞的考訂，也包括對古籍內容、史實、學說眞僞的考辨。約而言之，前者主要是辨別僞書，與古典文獻專業關係比較密切，屬於狹義的辨僞學；後者主要是辨別僞說，涉及學術思想史研究的範圍（經學史上今、古文之爭、僞造經說的鑒別，可置此類），屬於廣義的辨僞學。古典文獻研究以書籍爲主要對象，辨別僞書，應當是文獻研究的一個重要前題，當然，辨僞書也會涉及書籍內容眞僞問題，所以辨僞書和辨僞說二者不能截然分開，只是在具體問題上，應各有側重而已。

我國的古籍，過去習慣上按「經、史、子、集」四部分類，各類之中都出現過不少僞書。比較起來，以「子部」爲最多，關於這方面，明代著名辨僞學家胡應麟曾作過詳細分析，他說：「凡四部書之僞者，子爲盛，經爲次，史又次之，集差寡。凡經之僞，《易》爲盛，緯候次之；凡史之僞，雜傳記爲盛，瑣說次之；凡子之僞，道爲盛，兵及諸家次之；凡集，全僞者寡，而單篇別什借名竄匿甚衆。」這個估計，還是比較切合事實的。

一、僞書出現的原因

在我國歷史上，托名假作的僞書出現的時間比較早。胡應麟曾說「贋書之昉（始也），昉於西京（西漢）乎，六籍旣焚，衆言淆亂，懸疣附贅，假托實繁…然率弗傳於世，世故莫得名之。唐、宋以還，贋書代作，作者日傳。」（《四部正訛·引》）他認爲秦火以後西漢時期才開始出現假托前人的僞書，其中許多還沒有能夠流傳下來。其實，我國文化有着悠久的歷史，造僞和辨僞應該都是與文獻的成書和流傳大致相終始的，因此僞書開始出現的上限，應該還可以從西漢上溯到春秋、戰國時期，不過，先秦的僞書大都「弗傳於世」，以致「文獻無徵」了。

「僞書」的出現，有多方面的原因，就先秦古籍而論，還有它的特殊原因：有簡册制度方面的，有「語言異聲」「文字異形」方面的，還有古書體例本身的特點，如作者無主名，文獻無書名等等，都是不可忽視的因素。我國遠古時代，文獻一般記錄在甲骨、金石、簡牘和縑帛上面，書寫工具笨拙，記事的文字比較簡單。那時簡册多爲巫史所掌，世代相傳，很難考定爲某代某人所記；古代各個地區的方言差異很大，文字又屢經變化，由甲文而籀文而小篆而隸書，每一次變革，簡册都須經過翻譯、傳寫，內容難免有改動、遺漏、錯舛和失眞的地方；古代典籍，一般都不題作者姓名，《詩經》絕大部份是無名氏的作品，《周易》的經文也不知出於何人之手。《周易・繫辭・傳》說：「《易》之興也，其於中古乎，作《易》者其有憂患乎？」可是，作《易傳》的人，自己也沒有留下姓名。《史記・司馬相如列傳》記載，司馬相如作〈子虛賦〉沒有標出自己的名字，等到漢武帝問他時，才答稱「有是。」李善注《文選》，在「古詩十九首」的篇題下加注說，「並云古詩，蓋不知作者。」可見直至漢魏時期還有不題姓名於所撰作品上的。至於先秦諸子，題曰某子，大都爲門人或賓客所撰定，並非他們自己的手筆，等到成書流傳，時代可能更晚。《論語》爲孔子弟子或再傳弟子所編，《管子》亦後人記述，故有管仲身後的事。《商君書》也不完全出於商鞅之手，書中提到秦、魏華陽之戰和秦、趙長平之戰，都已經是商鞅歿後幾十年的事。《荀子》書中〈堯問〉的末段記有別人評論荀況的話，楊倞謂爲「荀卿弟子之辭。」這情形，只有在了解先秦諸子編集的情況以後，對於書中出現後人增補之迹，才不會感到詫異，才不致據此遽定爲僞書。此外，先秦典籍往往不題書名，現在流傳的古籍書名，有些是後來確定的。如《戰國策》當時就有許多不同的名稱，諸如《國策》、《國事》、《短長》、《事語》、《長書》、《修書》等，直到劉向校書，加以整理、編次，删除重複，才定名爲《戰國策》。司馬遷的《史記》，原來也沒有名稱，《漢書・藝文志》著錄，稱「《太史公》一百三十篇」。魏、晉時代，稱它爲《太史公記》、《太史公傳》或《太史公書》。後世稱《史記》，原是《太史公記》的省稱。由於古籍往往沒有書名，沒有作者，流傳到後代，滋人疑惑，引人爭議的事就比較多，失考誤斷，指爲僞書的，也往往而有。當然，先秦時期也有有意造作僞書的，秦漢以來，蓄意作僞的更多。約略言之，僞書的產生，有以下幾種情況：

(一) 托古傳書

崇拜古人，輕視同時代的人，這是幾千年舊社會的積習，由來已久。早在春秋時代，孔子就特別推崇堯舜，孟子「言必稱堯舜」，墨子也一樣，他說「……堯、舜、禹、湯、文、武之王天下正諸侯者，此亦其法也。」（《墨子・尚賢中》）儒、墨二家，取舍不同，而崇拜古人、取法先王的思想則是一致的。針對這種情況，韓非指出：「孔子、墨子俱道堯、舜，而取舍不同，皆自謂眞堯、舜，堯、舜不復生，將誰使定儒、墨之誠乎？……無參驗而必之者，愚也。弗能必而據之，誣也。故明據先王，必定堯舜者，非愚則誣也。」（《韓非子・顯學》）韓非認爲應該「參驗」事實，不能盲目托古。盡管他的批評相當尖銳，但並不能改變當時的現狀。到了漢代，托古造僞的情況還相當嚴重。《淮南子・脩務篇》說：「世俗之人，多尊古而賤今，故爲道者必托之於神農、黃帝而後能入說，亂世暗主，高遠其所從來，因而貴之。爲學者蔽於論而尊其所聞，相與危坐而稱之，正領而誦之，此見是非之分不明。」從這些話可以看出漢代以來托古作僞的根由，從中也可推想到這一時期的書籍，存在不少僞作。東漢班固在《漢書・藝文志》裡指明爲托古作僞的，就有數十例《藝文志・諸子略》中農家有《神農》二十篇，注云：「六國時，諸子疾時，怠於農業，道耕農事，託之神農。」陰陽家有《黃帝泰素》二十篇，注云：「六國時，韓諸公子所作。」道家有《力牧》二十二篇，注云：「六國時所作，托之力牧。力牧、黃帝相。」雜家有《大禹》三十七篇，注云：「傳言禹所作，其文似後世語。」小說家有《天乙》三篇，注云：「天乙謂湯。其言非殷時，皆依托也。」此外，還有托名爲黃帝史官孔甲、黃帝臣封胡、風后、鬼容區以及師曠、伊尹、太公等造作的各種書籍。班固作〈藝文志〉，以劉歆《七略》爲藍本，而《七略》又是依據劉向《別錄》寫成的，篇中班固自注云云，也都是採用向、歆父子舊文，可知早在西漢時期，劉向、劉歆就已發覺這些都是假托古人之名製造的僞書。這些僞書，現在都已亡佚，然今存傳世書中，也還可以擧出不少例子：如托名神農的《本草》，托名黃帝的《內經》，托名伏羲的《易卦》，托名周公的《禮經》，托名孔子的《繫辭》，托名子夏的《易傳》、《詩序》等等，都是爲假借古人之名，以傳其書，以行其道。這種著書托古的風氣，直至魏、晉以後還很盛行。如曹冏作《六代論》，托名曹植，見《晉書・曹志傳》；陸喜作《西州清論》，借稱諸葛亮撰，見《晉書・陸雲傳附載陸喜》；《列仙傳》舊題劉向撰，論者以爲六朝方士所爲；《素書》舊題黃石公撰，論者疑卽出於張商英之手；《元經》舊題王通撰，疑亦阮逸所僞造。逮至明代，造僞之風尤熾，《天祿閣外史》托名黃憲，《十六國春秋》題作崔鴻，實皆明人所作。至豐坊、姚士粦輩所造的僞書，則尤淺陋荒誕，無足論矣。

(二) 造僞補佚

我國古代由於多種原因，書籍亡佚的情況，非常嚴重，早在《漢書·藝文志》裡，就已經出現了不少佚書。歷史上有一些人，出於某種個人目的，故意製造僞書，假冒眞書流傳，最突出的例子，莫如僞《古文尙書》和《列子》。

魏晉之間，孔壁發現的《古文尙書》十六篇已經亡佚，東晉元帝時期（公元三一七～三二二）豫章內史梅賾奏上了孔安國作傳的《古文尙書》五十八篇，比伏生所傳的《今文尙書》增多了二十五篇。唐代孔穎達作《尙書正義》，陸德明作《經典釋文》，都是用了這個本子也就是現存《十三經注疏》中的《書經》。對於梅賾所獻的《古文尙書》二十五篇，宋吳棫開始懷疑，朱熹繼之，提出不少疑點，元代吳澄作《尙書纂言》，明代梅鷟作《尙書考異》皆有辨析，特別是淸代閻若璩寫了著名的《尙書古文疏證》，列舉了一百二十八條證據，僞作之疑，遂成定論。惠棟作《古文尙書考》，又一一指出其作僞的來源，其後丁晏作《尙書餘論》，進一步考定出於魏代王肅之手。此書摘取先秦典籍中的文句，模仿《尙書》的體裁，拼湊成文。如〈大禹謨〉中「人心惟危，道心惟微，惟精惟一，允執厥中」這十六個字，就是從《荀子》和《論語》中摘取來的。《荀子·解蔽篇》引《道經》曰：「人心之危，道心之微。」《論語·堯曰篇》記載堯讓位給舜的時候，告誡他應該「允執厥中」。作僞的人，把這兩段話聯在一起，乃將兩個「之」字改成「惟」字，加上一句「惟精惟一」，就湊成這十六個字了。西漢《今文尚書》佶屈聱牙，語句拗口，梅賾所獻古文，反而文從字順，明白易曉，晚出之迹，不掩自露。

《列子》一書，稱列御寇撰，劉向校定八篇，《漢志》仍之。原書早經散佚，今本《列子》，出東晉張湛注，書中出現後世名物、詞語、典故、事迹，不一而足。明清以來，學者多已致疑，馬敍倫在前人考辨基礎上，作《列子僞書考》，列舉二十事，確證其爲僞書。他說：「蓋《列子》書出晚而亡早，故不甚稱於作者。魏、晉以來，好事之徒，聚斂《管子》、《晏子》、《論語》、《山海經》、《墨子》、《莊子》、《尸佼》、《韓非》、《呂氏春秋》、《韓詩外傳》、《淮南》、《說苑》、《新序》、《新論》之言，附益晚說，成此八篇，假爲向敍以見重。」這個總結性的論斷，更足以說明今本《列子》，正是魏、晉時期造以補佚的一部僞書。此外，如《鬻子》、《關尹子》等，《漢書·藝文志》著錄的原書早已亡佚，今本皆屬僞托，古籍中尤其是子部書籍，亡佚以後出現僞書的，例不勝舉。世俗所謂畫鬼容易，蓋因無可質對，原書既佚，亦無可校核，於是造僞者更肆其技倆，無所忌憚了。

㈢ 弋名牟利

在長期的封建社會中，曾經出現過很多僞書。考其作僞動機，絕大多數都是爲了獵取名利。所以每當統治階級下詔求書的時候，封建士大夫造僞求賞的事，便時有發生。漢成帝時，東萊張霸，僞造了《百兩篇》。《漢書・儒林傳》說：「世所傳《百兩篇》者，出東萊張霸，分析合（今）二十九篇以爲數十，又採《左氏傳》、《書敍》爲作首尾，凡百二篇，篇或數簡，文意淺陋，成帝時，求其古文者，霸以能爲《百兩》徵，以中書校之，非是。」《尚書》本是上古史官所記的史料，相傳經過孔子删減整理，選存了一百篇。戰國以後，經過秦、楚、兩次火劫，《尚書》殘缺更甚。漢興以來，口傳、壁藏，相繼出世，卽伏生所傳的《今文尚書》二十九篇（其中《秦誓》後出，馬融考訂屬於僞篇），孔壁發現的《古文尚書》十六篇，但仍不足孔子删定的百篇之數。迨成帝時「求其古文者」，張霸趁機僞造了《百兩篇》獻以求賞，經用皇室秘書核對以後，僞造的陰謀才敗露。

隋文帝時，牛弘建議下詔求書，他說「兼發購賞，則異典必臻」，文帝從其議，於是下詔：獻書一卷，賚絹一匹，校寫旣定，本卽歸主，因而民間異書，往往間出。因爲當時徵書頗熱，便有人趁機造僞了。《北史・劉炫傳》說：「時牛弘奏購求天下遺逸之書。炫遂僞造書百餘卷，題爲《連山易》、《魯史記》等，錄上送官，取賞而去。」《隋書・牛弘傳》所記略同。劉炫本是隋初名流，通天文律數，深研諸經，與劉焯齊名，時稱二劉。開皇中，炫預修國史，並參與修訂《五禮》。唐孔穎達等撰《五經正義》採用劉炫、劉焯的說法很多。像這樣一個封建士大夫，一旦名利熏心，廉耻道喪，直至事發除名，削籍歸家，最後流離餓死。這個例子，眞是夠典型的了。

唐宋以後，文人造僞的事，還時有發生。明清以來，書賈造僞射利，更是習見不鮮，不過手法更加拙劣罷了。

四 相攻爭勝

封建時代的知識份子，常有互相輕視、猜忌的惡習，一些名望地位相似的文人，爲了學術上的不同見解，往往相攻如仇讎，他們有時覺得單靠口頭辨論，不足以制服對方，便千方百計僞造一些書籍，作爲自己立論的依據。漢、魏之際，王肅（公元一九五—二五六）之攻鄭玄（公元一二七—二〇〇）便是如此。王肅，三國魏東海郯人，「善賈（逵）馬（融）之學，而不好鄭氏」（《三國志・王肅傳》）。肅女爲司馬昭婦，生子炎，就是晉武帝。憑藉帝王之力，肅所注《尚書》、《詩》、《論語》、《三禮》、《左傳》及父朗所作《易傳》皆立於學官。王肅與鄭玄，時代距離很近，但王肅年輩較鄭玄爲晚。兩漢經學，至鄭玄合今、古文而集大成，當時鄭玄所注群經都已行世，社會上公認鄭玄是經學大師。王肅爲了與鄭玄爭勝，作〈聖證論〉譏短鄭玄，並僞撰孔安國《尚書傳》、《論語注》、《孝經注》以及《孔子家語》、〈孔叢子〉以佐其說，作爲自己論點的依據。他還爲自己僞撰的《孔子家語》作注，在〈自序〉中寫道：「鄭氏學行，五十載矣，尋文責實，考其上下，義理不安，違錯者多，是以奪而易之。孔子二十二世孫，有孔猛者，家有其先人之書，昔相從學，頃還家，方取以來，與予所說，有若重規疊矩，而恐其將絕，故特爲《解》，以貽後世之君子。」王肅着重申明此書爲孔子後人孔猛所傳，恰與己說暗合，以期見重於當世。可是當時學者中有人就已看出此中奧秘，博士馬昭曾說這是「肅私定以難鄭玄」（《禮記·樂記正義》引）。按《漢書·藝文志·六藝略》雖存《孔子家語》二十七卷，但早已散佚，唐初諸儒就已認定王肅所傳《家語》是僞書，清孫志祖撰《家語疏證》，作了詳細辨證，直指王肅僞造。

封建士大夫不僅在學術爭論中造作僞書，爲自己的見解張目，在政治鬥爭中，他們黨同伐異，更是如水火之不相容，僞造書籍，誣蔑對方，更是常有的事。唐代牛、李之爭中，李德裕的門人就曾僞撰《周秦行記》一書題作牛僧孺撰，藉以攻牛。晁公武在《郡齋讀書志》中指出：「唐牛僧孺自敍所遇異事，賈黃中以爲韋瓘所撰，瓘，李德裕門人，以此誣僧孺。」明代胡應麟也確認此書是「李德裕門人僞撰以構牛奇章（按：牛僧孺曾被封爲奇章郡公，故云）者也。」並謂「李挾高世之才，振代之績，卒淪海島（按：唐宣宗時，李被貶爲潮州司馬，再貶崖州司戶，卒於貶所。）非忌剋忮害之報耶！」（《四部正訛·卷下》）寄寓了對李的憤憤之情。

此外，唐代還有人借名江總作《白猿傳》毀謗歐陽詢。「詢狀頗瘦削，類猿猱，故當時無名子造言以謗之……不惟誣詢，兼以誣總。”（《四部正訛·卷下》）宋代魏泰，借名梅堯臣，作《碧雲騢》，攻擊范仲淹。還有一些造僞誣人而作者難以確考的，如《牛羊日曆》一書，胡應麟說：「《牛羊日曆》，諸家悉以劉軻撰。其書記牛僧孺、楊虞卿等事，故以此命名。案軻本浮屠，中歲慕孟軻爲人，遂長髮，以文鳴一時。即記載時事，命名詎應乃爾！必贊皇之黨且惡軻者爲之也。案《通鑒注》引作皇甫松，松恨僧孺，見傳，或當近之」。（引文出處同上）像這類的僞書，從其命名來看，又有些近於好事之徒，肆意妄爲一類了。

㈤ 好事妄爲

歷代以來，好事之徒，摭拾古事古言，敷衍編造，製作僞書的例子也很多。如《神異經》、《十洲記》皆題作東方朔撰。《直齋書錄解題》云：「二書詭誕不經，皆假托也。《漢書》本傳敍朔之辭，末言『劉向所錄朔書，具是矣，世所傳他事，皆非也。』〈贊〉又言『朔之詼諧，逢占射復，其事膚淺，童兒牧豎，莫不炫耀。而後世好事者因取奇言怪語附著之朔，故詳錄焉。』史家欲祛妄惑，可謂明矣。」可見好事者編造僞書，由來已久。再如《鶡冠子》，《漢書・藝文志》著錄即無作者名字，後世傳本，其辭淺陋，惟載有〈鵩賦〉。柳宗元云：「吾意好事者僞爲其書，反用〈鵩賦〉以文飾之……太史公〈伯夷傳〉稱賈子曰：『貪夫殉財，烈士殉名，誇者死權』不稱《鶡冠子》。遷號爲博極群書，假令當時有是書，遷豈不見耶！」（《辨〈鶡冠子〉》）此書《漢書・藝文志》著錄僅一篇，今存三卷，凡十九篇，蓋皆後人所增益。宋代魏泰，曾假梅聖俞之名作《碧雲騢》，又陸續造作多種僞書，如《志怪錄》、《括異志》、《倦遊雜錄》等，任意議詆前人。元代有人附會《孟子》「晉之乘，楚之檮杌」

一語，造出《晉史乘》、《楚檮杌》兩部僞書，論者疑爲元人吾丘衍所作。明代又出現《子貢詩傳》、《申培詩說》，《四庫提要》指爲豐坊僞造。《論語》有「賜(子貢名賜)也，可與言《詩》」的記載，《漢書》有申培傳《魯詩》的敍述，是其所本。書用篆體寫成，藉以迷惑當世，其書既出，時人一哄之市，張元平刻之成都，李本寧刻之白下，凌濛初刻爲《傳詩嫡冢》，鄒忠允作《詩傳闡》，姚允恭爲《傳說合參》，使得以盡售其欺，豐坊還僞造了魏正始《石經大學》，清順治三年刻《說郛》，竟列之卷首，名曰《大學石經》，即此僞本，明代造僞風氣最盛，爲害也最廣，不可不辨。

二、古代辨僞的概況

(一) 先秦兩漢時期

先秦是我國經籍文獻和諸子文獻成書的重要時期。在整理先秦幾部主要經籍方面，相傳孔子(前五五一—前四七九)曾作出過巨大貢獻。他的一些學術觀點，對於我國的辨僞學史，產生過重大影響。他主張「無徵不信」、「多聞闕疑」、「不語怪、力、亂、神」，把不信怪誕虛妄的思想，貫穿於從事文獻整理的實踐之中，凡是虛妄、僞造的史料，自然都在他筆削之列了。

孟子（約前三七二—前二八九）和荀子（約前三一三—前二三八）也都是辨僞學史上很有影響的人物。孟子說過：「盡信《書》，則不如無《書》，吾於《武成》取二、三策而已矣。仁人無敵於天下，以至仁伐至不仁，而何其血之流杵也？」（《孟子·盡心下》）孟子懷疑武王伐紂「血流漂杵」是記載失實。後來「盡信書則不如無書」被賦予一般意義，疑古辨僞的人把它奉爲格言。荀子說：「五帝之外無傳人；非無傳人也，久故也。五帝之中無傳政；非無善政也，久故也。」（《荀子·非相篇》）對於五帝之外的無懷氏、葛天氏、風后、力牧等人，五帝之中的封禪、巡狩、授時、分州等事，他都一概否認。荀子還認爲「治古無肉刑而有象刑」的說法和「禪讓」之事，都不足憑信。這些觀點，都富有辨證精神。

荀子的門人韓非（約前二八〇—前二三三）曾把「言必稱堯舜」的人，定爲「非愚即誣」，主張用「參驗」事實的方法來研究古史。（說詳《韓非子·顯學篇》）而參驗事實，也正是疑古辨僞的一個重要內容。

淮南王劉安（前一七九—前一二二）認爲古代文獻的記載，誇張增大的地方太多。他說：「三代之稱，千歲之積譽也；桀紂之謗，千歲之積毀也。」（《淮南子·繆稱訓》）都不能恰如其分地反映當時的歷史眞實。他還進一步指出：「今夫圖工好畫鬼魅而憎畫狗馬者，何也？鬼魅不世出而狗馬可日見也。夫存危治亂，非智不能，而道先稱古，雖愚有餘。」（《淮南子·氾論訓》）劉安用這樣形象的比喻，把文獻中「道先稱古」的記載，比作「畫鬼魅」一樣的荒唐無稽！這不僅是疑古，甚至把古史的一些傳說都統統否定了。

具有辨僞眼光並把去僞存眞的精神貫穿在自己的著述實踐中的是司馬遷，他生當漢朝全盛時代，爲了編寫一部「究天人之際，通古今之變」的空前的歷史巨著《史記》，司馬遷毅然決定以「考信於《六藝》」作爲審查古代史料的標準，在戰國、秦漢間百家雜說紛然雜陳的時代，《六藝》還算比較純粹。「考信於《六藝》」還不失爲一個甄別史料的有效方法。《史記》書中所寫的時代起於黃帝，處在漢朝方士和陰陽家極其活動的時代環境裡，排斥了黃帝以前傳說中的許多古帝王，這實在是不容易的事，可見他態度的堅決，眼光的敏銳和膽識的過人。

漢代在著作中貫穿着辨僞精神的，還有王充的《論衡》和許愼的《五經異義》。

王充（公元二七—約九六）作《論衡》三十卷，在許多地方都貫穿着辨僞精神。他在〈對作篇〉中明白宣稱：「《論衡》就世俗之書訂其眞僞，辨其虛實。」書中的〈書虛〉〈道虛〉〈語增〉〈儒增〉〈藝增〉〈問孔〉〈刺孟〉〈談天〉〈實知〉……諸篇，都是辨僞的重要篇章，所辯以僞說、僞事爲主，間亦涉及僞書。

王充主張疾虛妄而求實證，在辨僞史上有重大影響。唐代劉知幾重新擧起辨僞的旗幟，就是以王充爲榜樣的。

許愼（約五八—約一四七）撰寫《五經異義》一書，先敍今文學說，次敍古文學說，羅列材料，比較異同，再下按語，加以論斷。可算得上是一種有系統的辨僞著作，不過它所辨的是僞說而不是僞書，而且他又是站在古文學家的立場上來駁今文，夾雜着家派的成見，有些見解也比較陳腐，只是在方法上還有可以借鑒的地方。可惜原書早已亡佚。

馬融（四—七九）辨〈泰誓〉，算得上漢代考辨僞書成功的範例。〈泰誓〉戰國時是有的，所以諸子書中多次引到，但西漢伏生所傳却沒有這一篇，武帝時才在河內發現，當時儒生尊之爲群星中之北斗，（見《論衡・正說》）豈知卻是僞篇。孔穎達《尚書正義》卷十一引馬融《書序》云：「〈泰誓〉後得，其文似若淺露。……《春秋》引〈泰誓〉曰：『民之所欲，天必從之。』《國語》引〈泰誓〉曰：『朕夢協聯卜，襲於休祥，戎商必克。』《孟子》引〈泰誓〉曰：『我武惟揚，侵之於疆；取彼凶殘，我伐用張，於湯有光。』孫卿引〈泰誓〉曰：『獨夫受。』《禮記》引〈泰誓〉曰：『予克受，非予武，惟朕文考無罪。受克予，非朕文考有罪，惟予小子無良。』今文〈泰誓〉皆無此語。吾見書傳多矣，所引〈泰誓〉而不在〈泰誓〉者甚多，弗復悉記，略舉五事以明之，亦可知矣。」馬融指出古書所引〈泰誓〉都不見於此篇，可見是後出的僞作，論證嚴密，說理透徹，很有說服力。

從目錄學的角度考辨僞書的，首推西漢時的劉向（前七七—六）。劉向校理群書，就包括辨僞的內容。如《列子敍錄》說：「至於〈力命〉篇，一推分命，〈揚子〉之篇，唯貴放逸，二義乖背，不似一家之書。」當是《別錄》的內容。所辨之書，已注意到從思想體系判別，頗有識見。又如《漢書・藝文志》：「《黃帝泰素》二十篇」顏師古注引《別錄》云：「或言韓諸公孫之所作也，言陰陽五行，以爲黃帝之道也。」這些都是《別錄》的遺文。其後劉歆根據《別錄》作《七略》，班固刪《七略》作《漢書・藝文志》。今所傳《漢志》書名下班固的注語，自必本於劉向、劉歆。其中考辨僞書的就有四五十種，儘管那時所辨，證據還比較單薄，範圍也只限於諸子，然而，辨僞工作開始在目錄學方面有所反映，畢竟是辨僞史上不可忽視的重要篇章，影響十分深遠。

(二) 唐宋時期

三國、六朝，總的情況是造僞多於辨僞。然而傅玄懷疑《國語》《管子》，陸澄、王儉懷疑《孝經鄭注》，劉勰懷疑李陵、班婕妤的詩作，顏之推考辨了《本草》《爾雅》《世本》《山海經》《列仙傳》中的牴牾之迹，這些都可看作漢代疑古辨僞的餘緒。

唐代文化日漸發達，書籍增多，流行也較爲普遍，文人涉獵既廣，自然會比較同異，產生孰是孰非，孰眞孰僞的問題：藏書既多，促進了目錄學的發展，而目錄的興起又推動了辨僞工作。唐智昇《開元釋教錄序》說：「夫目錄之興也，蓋所以別眞僞、明是非……」，在佛經目錄中，東晉道安的《綜理衆經目錄》、梁僧祐的《出三藏記集》，都有〈疑經錄〉以別眞僞。這對於當時及以後公私藏書目錄都很有影響。唐初編寫的《隋書．經籍志》，只注存佚，不注眞僞，似較《漢志》遜色，但由於時代的影響，《隋書．經籍志》裡仍然反映出辨僞內容。如認爲《古文孝經》「疑非古本」；《歸藏》「不似聖人之旨」；讖、緯文辭淺俗；《孝經鄭玄注》與鄭玄所注他書不同，懷疑所及，還有《廣成子》《隨巢子》《胡非子》《

尸子》等子部群書。初唐時期國家頒布的《五經正義》之中已有辨僞議論，如認爲孔子刪《詩》之說不可信；《大戴禮》「文多假托」，《禮記》是「後世之言，不與經典合」，《月令》是「托記」之書。對於《易經》，則不認爲〈卦辭〉〈爻辭〉並爲文王所作，而以《緯書》爲僞；對於《春秋》，則認爲左氏有增竄，《穀梁》不可信。此外，對《竹書紀年》《國語》《世本》《史記》《管子》《家語》也都提出懷疑。當然，這些考辨，無疑都顯示着啓蒙時期的特點。唐代文人著述有疑古辨僞內容的頗不乏人，影響較大的有劉知幾、啖助和柳宗元。

劉知幾（六六一—七二一）著《史通》，其〈疑古〉〈惑經〉兩篇，多辨僞說，繼承了王充的疑辨精神，同時劉氏也注意到書籍的辨僞，他指出《孝經》非鄭玄所注，《老子河上公注》「其言鄙陋，其旨乖訛」；「《易》無子夏作傳者。」他懷疑這幾部書都是後人托名僞造的。（詳見《唐會要》卷七十七〈論經義〉）他還從文體方面考核，指出「李陵集有與蘇武書，詞采壯麗，音句流靡，觀其文體不類西漢人，殆後來所爲，假稱陵作也。」（《史通·外篇·雜說下》）。

啖助（七二四—七七〇）是《春秋》專家，對《春秋三傳》都作過深入的研究，認爲從保存歷史事實的角度看，《左傳》勝於《公》《穀》，但從經學的角度看，《左傳》解經自有其錯誤之處。他認爲《春秋三傳》產生一些錯誤記載的原因，是因爲最早都是口耳相傳，後人寫定時混入一些謬誤的材料造成的。啖助的弟子趙匡和再傳弟子陸淳，繼承啖助的工作，懷疑《三傳》的內容、作者及其傳授。考證作《傳》的左氏不是左丘明；《論語》裏的左丘明是孔子以前的人，而作《傳》的左氏是孔門後的門人，兩人應當分開。這些見解，對於清代今文經學家劉逢祿、康有爲、崔適考辨《左傳》頗有啓迪。他們疑辨所及，還有《周禮》《禮記》《史記》《竹書紀年》《本草》《山經》諸書。

柳宗元（七七三—八一九）從陸淳受學，淵源有自，是啖、趙、陸淳辨僞思想的繼承者。他把師輩考辨《春秋三傳》的方法用來考辨子書，取得了很大的成績。本集卷四有〈辨列子〉〈辨文子〉〈論語辨〉〈辨鬼谷子〉〈辨晏子春秋〉〈辨亢倉子〉〈辨鶡冠子〉等七篇文章。辨作者、辨時代、辨材料來源，有時還運用旁證，作出論斷。其中〈辨晏子春秋〉一書，尤爲精彩。文章先從思想內容分析「其旨多尚同、兼愛、非樂、節用、非厚葬久喪者，是皆出墨子；又非孔子，好言鬼事；非儒、明鬼，又出墨子。」，因此他懷疑是「墨子之徒有齊人者爲之」；「蓋非齊人不能具其事，非墨子之徒則其言不若是。」最後運用層層推理的方法，證成自己的判斷。總之，柳氏所辨子書雖然只有七種，但他所辨的內容和所採用的方法，在辨僞史上實有開創之功。後來宋末高似孫的《子略》、明初宋濂的《諸子辨》，都明顯受到他這幾篇文章的啓發。

此外，韓愈（七六八—八二四）也是一個很有疑古思想的人，盡管他沒有多少辨僞的論述流傳下來，但他倡導古文運動和重視「識古書之正僞」的辨僞精神，對後世特別是宋代的歐陽修和清代的閻若璩等人影響很大。

宋代的辨僞學，繼唐代重興之端緒而有較大進展，人才輩出，蔚然成風，辨僞成爲「宋學」批判精神的一個重要方面。歐陽修、鄭樵、朱熹是宋代辨偽的代表人物。

歐陽修（一〇〇七—一〇七五）勇於疑古，他崇拜韓愈、柳宗元「苦志探賾」「至忘寢食」，（《宋史》本傳）敢於擺脫傳統成見，成爲宋代新學風的開創者。在所著《詩本義》裏，辨正《毛傳》《鄭箋》的謬誤有一百多處，在《易童子問》裏，糾正王弼的誤失有數十處。他作有《泰誓論》疑《尙書》；《帝王世次圖序》及《後序》疑《史記》黃帝以來堯、舜、禹、湯、文、武世次之謬。對於《周禮》《爾雅》《石鼓文》等，亦有所辨。他曾說：「經非一世之書也，其傳之謬，非一日之失也，其所以刊正補緝亦非一人之能也。」（《歐陽文忠公集》卷四十七）。在這裡，他已看到了辨偽是一件長期的工作。

鄭樵（一一〇二—一一六〇）著《詩辨妄》，專斥《毛序》之失。他曾說：「《詩》《書》可信，然不必字字可信。」「《易》有〈彖〉〈象〉，皆出仲尼之後，往往戰國時人作。」他甚至說「亂先王之典籍而紛惑其說，使後學不知大道之本，自漢儒始。」（並見《詩辨妄》）眞是鋒芒畢露，凌厲無前。可惜他的著述大都散失。

朱熹（一一三〇—一二〇〇）考辨工作最有成就的是「經」，他接受了歐陽修尤其是鄭樵的影響，作《詩序辨說》，專辨《毛序》之失；作《孝經刊誤》，指出「《孝經》疑非聖人之言。」他曾多次辨《古文尙書》和僞孔《傳》《序》，他說：「凡易讀者皆古文，況又是蝌蚪書，以伏生《書》字文考之方讀得，豈有數百年壁中之物安得不訛損一字？」又說：「《書序》恐不是孔安國做。漢文粗枝大葉，今《書序》細膩，只似六朝時文字。」都是一針見血，深中要害。根據記載，朱熹曾作有讀書筆記《困學恐聞錄》，可惜沒有能夠傳下來，從《朱子語類》考知，朱熹所辨的僞書已達五十餘種。朱熹在漳州時曾刊《四經》，把《易經》和《易傳》分開，把《書經》和《書序》分開，把《詩經》和《詩序》分開，把《春秋》和《左傳》分開。這樣，「經」歸「經」，「傳」歸「傳」，實質上是把兩周和戰國秦漢間兩個不同時代的文化區別開來，這對後人考證這兩個不同時代的歷史、制度、學術有很大意義，對以後的學術研究產生了深刻的影響。

宋代的辨僞空氣在目錄學方面也有所反映。晁公武《郡齋讀書志》、高似孫《子略》、陳振孫《直齋書錄解題》、王應麟《漢書藝文志考證》都有一些辨僞的材料和言論，特別是高似孫的《子略》，更多辨僞內容。

高似孫（宋淳熙進士，生卒未詳）輯錄子書，自《陰符經》至皮日休《隱書》共三十八種，各標卷數，加以論斷，其中考辨眞僞的有九種，如辨《列子》說：「是書與《莊子》合者十七章，其間尤有淺近迂僻者，特出後人會萃而成之耳。」這種看法，比柳宗元又前進了一步。其評《亢桑子》認爲是僞書，但看出其中保存了若干古代眞材料。元代馬端臨作《文獻通考·經籍考》多引其文。高氏此書是隨筆性的，體例不嚴，文辭拖沓，心得也不多，鑒別古書，亦未爲精確，有的僞書如《陰符經》《握奇經》《三略》等，仍然在他眼下滑過。然而，他畢竟是上承柳宗元，下開宋濂、胡應麟的一個人，在辨僞史上自有他的一席地。

(三) 明清時期

元代不重視學術，辨偽工作，不絕如縷：金履祥撰《尚書表注》，對《尚書》中有些篇章提出懷疑；吳澄著《書纂言》，辨《古文尚書》及《孔傳》爲僞書，是這個時代的佼佼者。

到了明代，學風丕變，務博而荒，空談心性，不讀書，讀奇書，讀小品文，成爲一時風氣。宋代疑古辨僞之風，只能像一股涓涓的細流，緩緩地流淌，然而始終沒有歇絕。明代在辨僞方面卓著成績的，有宋濂、梅𬸦、胡應麟諸家。

宋濂（一三一〇—一三八一）所作的《諸子辨》，徵引宋人辨僞言論較多，體裁也與高似孫的《子略》和黃震的《黃氏日抄》相類，可見其思想淵源。元代馬端臨把唐、宋人考辨諸子的文字編入了他所著的《文獻通考・經籍考》中，材料集中，易於比較判斷，作僞之迹，昭然自明，故宋濂作《諸子辨》、胡應麟作《四部正譌》，很多材料都取資於此。《諸子辨》按子書年代順序，一一作出簡單的評論，他以儒家思想作爲衡量諸子思想的尺度和取捨的標準，所表露的完全是董仲舒的心胸。他的所謂「辨」，乃是辨其「各奮私知而戾大道」的殊說，目的是爲了「使道術咸出一軌」。這是衞道的態度，淺薄的功利思想。就是考證方面，也有不少淺陋的地方，如辨《鬻子》、論《化書》等皆是。但就專辨諸子而言，這畢竟是辨僞學史第一部專書，他用年代的先後，思想和事實的異同，以及文字辭句的體裁等三種方法來考辨古書的眞僞和時代，很有可取的地方，辨《亢倉子》《子華子》《淮南子》《文中子》諸條，也都提出了很好的見解。

梅鷟（生卒不詳）繼承宋代吳棫、朱熹和元代吳澄對《古文尚書》的考辨，撰《尚書考異》和《尚書譜》，對孔壁古文和僞《古文尚書》表示懷疑，進行了考辨，取得了很好的成績。如認爲〈大禹謨〉混典、謨、誓三者爲一篇，與《今文尚書》典則典，謨則謨，誓則誓的體裁不類；又如認爲「人心微危，道心惟微，惟精惟一，允執厥中」四句，前三句係根據《荀子》中的文字綴集改易而成，後一句出《論語·堯曰篇》。又認爲僞孔《傳》中出現的「河南（縣）」「金城郡」是晉代和東漢才有的地名，孔安國卒於武帝時，不可能知道，以上從體例、辭語出處和地理沿革證實它的錯誤，說服力很強。這些考辨的結論，都爲淸代閻若璩所採用。

胡應麟（一五五一——一六〇二）撰《四部正譌》。和宋濂一樣，很多地方都取材於馬端臨的《文獻通考》，然而比起《諸子辨》來，它有兩個顯著的優點，宋濂只辨諸子，胡則擴大到四部，考辨之書較宋濂多一倍以上，此其一。宋濂旨在衞道，胡應麟重在辨僞求眞，此其二。《四部正譌》不僅在考辨諸書的一些具體問題上提出自己的見解，更重要的在於系統地分析了作僞的情況，提出了具體的辨僞方法（詳見下文）。他把僞書產生的原因和僞書性質歸納爲二十類，又把致僞的程度歸納爲六類，分析都比較切合實際。假如他能進一步把畢生的精力都傾注在辨僞事業上，他的成就或可與閻若璩相頡頏或者駕而上之，可惜他立了這些條文便戛然止步，論者惜之。

閻若璩（一六三六－一七〇四）清代早期的辨偽大家。繼承吳棫、朱熹、吳澄、梅鷟等人考辨《古文尚書》的成果，著《尚書古文疏證》，引證繁富，辨析詳明，歸納通例，窮其原委，使《古文尚書》及孔安國《傳》的偽迹，彰然大明。《古文尚書》之為偽書遂成定論。《疏證》全書共一二八條，從篇名、文字、文體、史實、典制、曆法、地理以及篇章分合，徵引出處等各個方面，證實偽古文，偽孔《傳》與時代不合，與文獻記載牴牾，從而證明確實出於偽作。閻氏考辨的方法，一般是發現破綻，然後溯流尋源，窮根究底，使之無可逃遁。如書中指出「兩漢書載古文篇數與今異」，「鄭康成注古文篇名與今異」，「《左傳》引《夏訓》今強入《五子之歌》」，「《胤徵》有『玉石俱焚』語為出魏晉間」，「《五子之歌》不類夏代詩」……等等，都昭然若揭，鐵案如山。閻氏此書，不僅給後代留下了考辨成果，更有價值的是總結豐富了辨偽的方法。它無疑是我國辨偽學發展成熟的標誌。

姚際恒著有《九經通論》（其中只有《詩經通論》完整地流傳下來）、《庸言錄》和《古今偽書考》，閻若璩《尚書古文疏證》曾引用過姚氏《尚書通論》的材料。《古今偽書考》是一部考辨群書的專著，辨經、史、子三類書籍共約九十種，辨語比較簡略，又多採前人之說，體例也很像筆記，可能是他的不經意之作，精彩無多，本身的學術價值是有限的，但他敢於提出「古今偽書」這個名目，敢於把前人不敢置疑的經書－《易傳》《孝經》《爾雅》……等一齊打入「偽書」之列，無疑是一個極有膽識的舉動，使當時埋頭故紙堆中的人，猛然醒悟，原來聖經賢傳中也有這麼多「僞書」！所以《古今僞書考》對後世的影響超過它本身的價值。姚氏是一位經學家，書中經部書考辨較精。今人顧實、黃雲眉作有重考和補證。

清代中期，考據學大興，學者埋頭鑽研文字、音韻、訓詁、校勘，而於辨僞則不甚措意，他們從整理古書到迷信漢儒，「疑古」爲「信古」的空氣所掩，惟有一位崔述，超然獨立，疑古不怠，積累三十年的功力，寫了一部《考信錄》，書凡三十六卷，考證唐虞三代、春秋、戰國史事及孔、孟事迹，結果推翻了無數僞史，又系統地說明了無數傳說的演變，考證綦詳，時有新解。惟以衞道爲已任，所據又以《詩》《書》《六經》爲限，主觀武斷之處很多。然《考信錄》畢竟是一部重要的辨僞著作，所辨以僞史、僞說爲主。嘉慶以後，今文學派崛起，疑古辨僞之風又重新高漲起來。劉逢祿、龔自珍、魏源、邵懿辰、廖平、崔適、康有爲等皆有辨僞專著或專篇，他們都屬今文學派。康有爲以後，章炳麟、王國維皆主古文，力駁今文學家對古文書的全盤否定。此外，王國維等還利用考古發現的資料，考核文獻，辨正僞說，也作出了重大貢獻。以上所述，涉及今古文的，多以考辨僞說爲主。晚近張心徵撰《僞書通考》，收羅宏富，是辨僞的工具書。

綜觀我國的辨僞學史，一方面我們要看到古人的成績，一方面還應該看到古人的成績也不過如此，從而鞭策自已，勇於探索，把辨僞工作，推向新的高度。

三、考辨僞書的方法

辨僞的歷史，源遠流長，而要把前人關於辨僞的知識，歸納成比較系統的方法，卻已是很晚的事。如果說，東漢馬融考辨〈泰誓〉的文章，可算打響了我國辨僞啓蒙的第一槍，晚明胡應麟提出辨僞「八法」，當可看作我國辨僞工作逐步走向成熟的標誌。

自先秦以來漫長的歲月裡，許多學者曾提出過不少有關辨僞的見解，其中明確提到辨僞方法的，在胡應麟以前，以朱熹所說最爲具體，朱熹在同袁樞談話時，曾經談到過辨別僞書的方法。他說：「熹竊謂生於今世而讀古人之書，所以能辨其眞僞者，一則以其義理之當否而知之，二則以其左驗之異同而質之。未有舍此兩途，而能眞正臆度懸斷之者也。」（《晦庵先生文集》卷三十八〈答袁機仲〉）朱熹考辨僞書，重實證而不「臆度懸斷」，這是多麼值得肯定和提倡的科學精神。他所說的「義理之當否」，是說理論是否正確，所謂「左驗之異同」是說證據是否可靠。這一番話，概括了朱熹考辨僞書的方法論。在辨僞取證方面，他着重注意考證作者的生平、作品的時代、流傳的情況、文章的體制、辭語等等，這也是歷代學者同樣注意到的問題，而重視「義理之當否」，即着重探討作品的思想內容，卻是朱熹在辨僞方面的顯著特色。從作品內容，從理論角度來判斷書籍的眞僞，這就要求有較高的學術素養。朱熹在這方面曾作出巨大的努力，特別表現在懷疑和考辨僞《古文尚書》和《毛詩序》

兩種著作方面，取得了很大的成績。他所寫《詩序辨說》一書，集中地體現了從「義理之當否」來考辨眞僞的主張，當然他在考辨中，仍然還要依靠各方面的證據。

把歷代學者關於辨僞的見解和實際採用過的辨僞方法，加以歸納總結，使之條理化系統化，從而成爲規律性的知識的，首推明代的胡應麟，他在所著《四部正譌》一書中，指出考核僞書的方法有八種：一、核之《七略》以觀其源；二、核之群志，以觀其緒；三、核之並世之言，以觀其稱；四、核之異世之言，以觀其述；五、核之文，以觀其體；六、核之事，以觀其時；七、核之撰者，以觀其托；八、核之傳者，以觀其人。也就是說，遇到可疑的古書，第一：西漢以前的，可從《七略》《漢書·藝文志》中，查到已否著錄；第二：西漢以後的古書，可以從正史的〈藝文志〉或〈經籍志〉以及各類私家藏書志中，查驗有無記載；第三，看看當代著作中有無稱引此書的地方；第四：看看後代著作中有沒有關於此書的論述；第五：書中的體裁如何，是否與當時的文體相符；第六：檢驗書中所述事實與它的時代是否符合；第七：查考一下它的作者，看看是否出於假托；第八：考查傳授此書的人是誰，以及此書的流傳過程。上述這些方法，是胡應麟吸取前人經驗，結合自已考辨大量僞書的經驗總結。雖然還比較簡略，但比起朱熹所說的辨僞方法，卻前進了一大步。胡應麟本是一位目錄學家，辨僞與目錄學關係至爲密切，他所說的八種方法，首先強調從查考史志著錄入手，對於撰者和流傳情況也都在考察之列，這些都是目錄學必須考核的問題。因此，從目錄學角度考辨僞書，無疑是胡應麟辨僞方法的顯著特色。

科學的發展，必然是後出轉精，後來居上，採用的方法，自然也愈來愈精細、嚴密、具體、準確。梁啓超在《中國歷史研究法》一書中，總結前人辨僞的經驗，提出十二條辨僞公例，比起朱熹、胡應麟來，又詳細得多。這十二條公例是：一、其書前代從未著錄或絕無人徵引而忽然出現者，十有九皆僞。如明人所刻《古逸史》中有《三墳記》、《晉三乘》、《楚史檮杌》等。二、其書雖前代有著錄，然久經散佚，乃忽有一異本突出，篇數及內容與舊本完全不同者，十有九皆僞。如抄本《愼子》與四庫本、岱山閣本全異，《四部叢刊》竟採用之。三、其書不問有無舊本，但今本來歷不明者，卽不可輕信。如河內女子所得〈泰誓〉、梅頤所上《古文尚書》及孔安國傳等。四、其書流傳之緒，從他方面可以考見，而因以證明今本題某人舊撰爲不確者。如《神農本草》，《漢志》無其目，蓋蔡邕、吳普、陶弘景等經千年間直至宋代然後規模始具，實爲集體作成。五、其書原本經前人稱引，確有佐證，而今本與之岐異者，則今本必僞。如今本《竹書紀年》。六、其書題某人撰，而書中所載事迹在本人後者，則其書或全僞或一部分僞。如《越絕書》題子貢撰，未見《漢志》，書中敘及漢以後建制沿革。《管子》書中記西施事。七、其書雖眞，然一部分經後人竄亂之迹，既確鑿有據，則對於其書之全體，須愼加鑒別。如《史記》今本有太初、天漢以後事，且有宣元以後事。八、書中所言，確與事實相反者，則其書必僞。如劉向《列仙傳》自序云：「七十四人已見佛經。」佛教輸入後於劉歿二百年，卽此一語，足證其僞。九、兩書同載一事絕對矛盾者，則必有一僞或兩俱僞。十、各時代之文體，蓋有天然界畫，多讀書者自能知之，故後人僞作之書，有不必從字句求枝葉之反證，但一望文體，即能斷其僞者。如《古文尚書》多文從句順，《關尹子》有翻譯文體。十一各時代之社會狀態，吾儕據各方面之資料，總可推見其崖略，若某書中所言其時代之狀態，與情理相去懸絕者，卽可斷爲僞。如《神農》二十篇，鼂錯引文有「石城十仞，湯池百步，帶甲百萬」之語。十二各時代之思想，其進化階段，自有一定。若某書中所表現之思想，與其時代不相銜接者，卽可斷爲僞。如今本《管子》有批評寢兵、兼愛之說，顯係墨翟、宋鈃以後人著作羼入。

此外，梁啓超還有《古書眞僞及其年代》一書，也談了一些辨僞方法，舉例更爲具體，可與上述十二條公例對照參看，文繁不錄。

總結上列諸家條例，可以綜合概括爲以下四個主要方面：

(一) 查明傳授源流

目錄學與辨僞的關係非常密切。一些提要式書目裡，常有關於古籍考辨的記載。唐智升《開元釋教錄序》明確提出「夫目錄之興也，蓋所以別眞僞，明是非。」在佛經目錄中，有的還專門列有「疑經錄」以別眞僞。其考辨的着眼點，很大部份集中在傳授源流方面。從史書的〈藝文志〉或〈經籍志〉以及私家藏書志、書目提要中，不但可以看出各個朝代藏書的情況、書籍的聚散和整理，更可以從中考察某一部書的流傳過程，傳者爲何人，流傳有無中斷等等。利用各種書目提要，查明書籍的傳授源流、版刻特點，對辨識僞書，將有很大的參考價值。

柳宗元〈辨鬼谷子〉說：「漢時劉向、班固錄書無《鬼谷子》」，從而得出「《鬼谷子》後出」的結論；〈辨亢倉子〉也說：「劉向、班固錄書無《亢倉子》，而今之爲術者，乃始爲之傳注，以教於世，不亦惑乎！」都是先從著錄考察的。陳振孫《直齋書錄解題》辨《關尹子》說：「《漢志》有《關尹子》九篇，而隋、唐及國史志皆不著錄，其書亡久矣。」辨《子華子》也說：「考前世史志及諸家書目並無此書，蓋依托也。」清初姚際恒《古今僞書考》辨《公孫龍子》說：「《漢志》所載而《隋志》無之，其爲後人僞作奚疑。」辨《愼子》說：「《漢志》法家有《愼子》四十二篇，《唐志》十卷，《崇文總目》三十七篇，今止五篇，其僞可知。」總之，歷代辨僞學家都非常重視從史志著錄考察作者和傳授源流，以辨別眞僞。《四庫全書總目提要》（以下簡稱《提要》）考辨題名蕭統所作的《昭明太子集》、題名岳珂所作的《索湖詩稿》、題名吳琯所作的《蕉窗蒠隱詞》等書爲僞書，也都是從查考史志或諸家書目入手的，這的確是考辨古籍的一個重要方法。

(二) 查核歷史事實

辨僞工作本來就是文獻學與史料學的一個重要內容。缺乏史料，固然得不出結論，但如果史料不眞實，得出錯誤的結論，後果將更爲嚴重。所以弄淸事實，是一切科學研究的前提，更是考辨古籍眞僞的重要依據。

朱熹辨《詩序》說：「唐，乃是晉未改號時國名，自序者以爲刺僖公，便牽合謂：『此晉也而謂之唐，乃有堯之遺風』，本意豈因此而謂之唐？是皆鑿說。」（《朱子語類》卷八十）又說：「〈抑〉非刺厲王，只是自警。嘗考衞武公生於宣王末年。安得有刺厲王之詩！」（同書，卷八十一）辨《尚書全解》說：「胡安定《書解》未必是安定所注。《行實》之類不載，但《言行錄》上有少許，不多，不見有全部。專破古說，似不是胡平日意。又間引東坡說，東坡不及見安定，必是僞書。」（同書，卷七十八）。這些論辨，都是從考核事實出發的，故立論堅實。

《列子》之爲僞書，已爲學術界所公認。馬敘倫《列子僞書考》，是考辨《列子》的集大成的專著，其書擧二十事辨之，有不少都從考核史料着手。如指出「〈周穆王〉篇有駕八駿見西王母事，與《穆天子傳》合，《穆傳》出晉太康中，列子又何緣得知？」「〈周穆王〉篇言夢，與《周官》占夢合，《周官》漢世方顯」，「〈湯問〉篇與《山海經》同者頗多，《山海經》乃晚出之書」，列子更無從寓目。上述這些史料的先後早遲，都可以看出作者抄襲、剽竊的痕迹，根據這些作出的結論，是最有說服力的。

（三）查考作者生平

古人所作傳記、碑銘之類，對其人的生平事迹、重要著述，一般都有詳細記載，因而考辨古籍眞僞，從查核作者生平入手，也是一個重要的途徑。

朱熹考辨《麻衣易說》這部僞書就是從考查它的作者開始的。《朱子語類》中有十多處提到這件事，可見他的重視。最初他發現此書的內容和文字風格有問題，如書中說：「雷自天下而發」、「山自天上而墜」，「學《易》者當於羲皇心地上馳騁」等等，他認爲這都是「無理之妄談」。後來朱熹在南康任所，那位傳授《麻衣易說》的原湘陰主簿戴師愈來謁，朱熹趁此機會查考此書的作者和傳者，他記載當時與戴會晤的情況說：「坐語未久，即及《麻衣易說》，其言暗澀，殊無倫次。問其師傳所自，則曰『得之隱者。』問：『隱者誰氏？』則曰：『彼不欲世人知其姓名，不敢言也。』」（《文集》卷八十一〈再跋麻衣易說後〉）後來朱熹向當地人了解，都說：「書獨出戴氏，莫有知其所自來者。」於是朱熹認定此書爲戴師愈所造的僞書。

《四庫提要・史部・編年類存目》有《續宋編年資治通鑑》十八卷，題李燾撰。按《宋史・藝文志》和李燾本傳惟載燾有《續資治通鑑長編》，而無此書之名，此書體例與《宋史全文》約略相似而闕漏殊多，故《提要》斷爲「當時麻沙坊本，因燾有《續通鑑長編》，托名以售其欺」的贋品。

《斜川集》十卷，題宋蘇過撰。書中內容與作者時代經歷不符。據蘇過墓志，過卒於北宋宣和五年（一一二三），但集中卻出現南宋的嘉泰（一二〇一—一二〇四）、開禧（一二〇五—一二〇八）諸年號，以及周必大、姜堯章、韓侂冑諸人。集中所述時事，亦皆在南渡以後，這些都不是蘇過所能接觸到的。清代編《四庫全書》時，發現南宋詞人劉過（一一五四—一二〇六）《龍洲集》所載之詩與此盡同，所以《提要》判斷此書「蓋作僞者因二人同名爲過，而抄出冒題爲《斜川集》以漁利耳。」

從上述例子看來，凡作者時代和書的內容有明顯出入，或作者傳記根本未載曾有此種著作，就有必要引起注意；如果發現書中所載事迹，明顯在作者時代之後者，可斷其書爲僞，或者雜有部份僞篇。

(四) 分析作品內容

作品內容的範圍比較廣，書中的歷史事實是構成作品內容的一個主要方面，上文已有專項述及，不煩贅補。文史著作，所表現的學術思想，所採用的文體文法，所使用的辭語，所表現的文字風格，無不帶有時代的特徵，因而必須把這些納入特定的時代範疇之中，分析比較，找出其相符或矛盾之處，作爲判斷書籍眞僞的參考。

《關尹子》被視爲僞書，由來已久。宋濂舉出其中「嬰兒蕊女，金樓絳宮，青蛇白虎，寶鼎紅爐」等詞語，認爲決非出於古代。俞樾說：「《關尹子·三極篇》曰「蝍蛆食蛇，蛇食蛙，蛙食蝍蛆」，此五行相克之理，佛家果報之說所從出歟？」（《湖樓筆談》七）譚獻說：「《關尹子》句意凡猥，雖間有精語，已在唐譯佛經之後，多有與《圓覺》《楞嚴》相出入者。」（《復堂日記》卷五）姚瑩《識小錄》卷三「《關尹子》近釋氏」條例舉其文甚多，論證頗詳。總之，明清以來，學者多從《關尹子》的思想內容及其詞語特點，判斷今本爲後世之好仙佛者所依托。題名爲劉向所作的《列仙傳》，宋代陳直齋就已指出「傳凡七十二人，每傳有贊，似非向撰，西漢人文章不爾也。」他是從文體、文字風格着眼的。姚際恒指出其中有「七十四人已在《佛經》」一語，是作僞的破綻。故姚氏斷言「西漢之時安有《佛經》，其爲六朝人所作，自可無疑。」這也是根據思想內容和歷史事實立論的。

再如舊詩中的「排律」一體，唐、宋、元皆未有，直到元末楊士宏選《唐音》，方以「排律」標目，明代高棅選《唐詩品彙》，仍之立目，從此一直沿用下來。《孟浩然集》標有「排律」之體，故《提要》認爲已有誤入，斷非原本。另有《山谷精華錄》一書，題黃庭堅撰，任淵編，而其書列有「五言排律」之目，作僞之迹，不掩自露，其屬「僞題編者」已毋容置辨。這些都是從文體上判斷古書眞僞的顯例。瑞典人高本漢，作《左傳眞僞考》，把《左傳》和《論語》《莊子》《國語》等書比較，發現《左傳》所用方言虛字和代詞與其他古書不同，與魯國其他書籍也不一樣。他發現《左傳》所用非魯語，因此他認爲《左傳》非孔子作，亦非孔門弟子作，也不是司馬遷所謂「魯君子」作的。他推測當是另一人或是他的同一學派中數人所作。雖非定論，卻頗言之成理，有一定的理論依據。他從語言、文法等方面考辨古書，在某種意義上說，是一種嘗試，也是一種創新。至於古書中出現的稱謂、專用名詞以及某些特定的提法，往往是考辨古書眞僞最好的線索。馬敍倫《列子僞書考》曾指出「〈周穆王〉篇記儒生治華子之疾，儒生之名，漢世所通行，先秦未之聞也。」他僅僅抓住「儒生」這一個名稱，就把僞作《列子》的時代上限，限制在漢代以後了。由此可見，凡古籍中出現後代的稱謂、人名、地名、朝代名以及諡號、避諱等等，則其書卽使並非全僞，至少已經過後人的竄改或增補，這也是常見的通例。

考辨僞書，必須以辨證唯物論作爲指導思想，力避主觀臆斷，形而上學地處理問題，在進行具體工作時，有幾點必須注意：

第一、必須有正確的指導思想

辨僞是一項複雜、細緻的工作，必須以歷史唯物主義爲武器，堅持實事求是的科學態度，綜合運用多種方法，才可望有所收獲。在工作中，切不可有門戶之見。高似孫、宋濂之辨諸子，旨在衛道，是求善而不是求眞，所以往往得不出正確的結論。崔述作《考信錄》，在考古辨僞方面，有相當的學術價值，但他常從維護孔子之道出發，迷信儒家經典，在考辨史實時常常陷入矛盾，不能自圓其說。「古史辨派」的學者，在考證古史上有成就，終因缺乏正確的理論指導，有時不免矜奇立異，走向極端，弄得幾乎無書不僞，使考辨工作，出現嚴重的偏向，得不出正確的結論。歷史證明，封建學者，資產階級學者，由於思想的局限，他們的辨僞工作，成就不夠如此。今天我們在總結歷史經驗的同時，要解放思想，堅持科學態度，在前人的基礎上，創造出更多更好的成績。

第二、不可以偏概全

有些古籍，其產生時代較早，但經過寫定、流傳、增補、潤色，難免與原貌有所出入，我們切不可抓住一點，就指爲僞書，如《白氏長慶集》有〈聞李崖州貶〉二絕句，晁公武《郡齋讀書志》曾指出「以唐史考之，崖州貶時，樂天歿將逾年」當然絕對不可能出於白氏之手，當是混入僞篇，但不能說《白氏長慶集》是僞書。

利用史志查考源流，也不能作爲絕對依據，國家書目未必能將一代藏書登錄無遺。就拿《隋書·經籍志》來說，收錄的書並不完備，清人張鵬一就作有《隋書·經籍志補》二卷，收在開明書店輯的《二十五史補篇》中。《水經注》、劉孝標《世說新語注》、李善《文選注》引書，不見於《隋志》的就有不少。隋朝許善心所作《七林》，是一部著名的目錄書，《隋志》就未曾著錄。另外，宋元以來私家藏書目錄，只記一家藏書，不能反映當代圖書的存佚情況，只可作參考而已。所以利用目錄來考辨古書，只是一個重要方法，決不是絕對的憑證。

第三、不可單憑文辭、判定眞僞

語言詞彙，可以作爲考辨古籍時代的線索，但決不可單憑文辭來判定古書的眞僞。柳宗元〈辨列子〉，謂「其文辭類《莊子》，而尤質厚，少僞作，好文者可廢耶！」宋濂《諸子辨》誤認《鬻子》不是僞書，理由只是「其文質，其義弘」，又謂「(《列子》)若書事簡勁宏妙，則似勝於周(《莊子》)」，都是單從文辭判斷，最後讓僞書在自己眼下滑過。這些都是深刻的敎訓。過去還有些人僅憑所謂其書「內容淺陋」或「文體不古」，斷爲僞書，他們按主觀印象判斷，無法定下嚴格的標準，掌握起來就很困難，這些都不是科學方法。

第四、僞書不可一概廢棄

僞書有無使用價値，要作具體分析。有些僞書，置於所僞的時代，固無足取，然而放在它僞作的成書時代，卻未嘗沒有史料價値。如托名周公所作的《周禮》，實際上是戰國至漢初才逐步寫定的，用它來研究西周的典章制度，並不適合，若用來研究戰國至漢初的制度，卻是很有價值的文獻。《列子》題作列御寇撰，自屬僞書，若把它作爲魏晉文獻來研究，自有它的作用，而且《列子》書中還有一些僅存的古代資料，例如楊朱的學說，現在只有《列子·楊朱篇》保存的記載最爲詳細。再如題名黃帝的《內經》，題名神農的《本草》，實際上也是漢魏以來的醫藥學家陸續積累寫定的，卽使列爲僞書，歷代醫家仍然肯定它的學術價值，至今稱道不衰。就如人們習知的王肅僞造的《孔子家語》和他所作的注，在駁斥鄭玄有關讖緯的怪誕說法這一點上，王肅提出了很多可取的見解，可以用作研究漢代思想史的重要資料。對於上述這種類型的僞書，考辨的目的，在於弄清它眞正的作者、寫作時代和寫作背景，愼重地利用它而不是廢棄它。至於那些內容荒謬、錯誤百出的僞書，書賈牟利、粗製濫造的僞書，自然又作別論了。

（原刊《語文導報》總第一〇四—一〇七期，一九八五）

四、輯佚簡論

一、古代輯佚概況

我國古籍有着悠久的歷史，長期以來，由於社會原因和書籍傳播條件的限制，散佚很多，根據《漢書藝文志》的記載，西漢時期就已有一些古書流傳失散，後代散佚更爲嚴重。馬端臨《文獻通考經籍考・序》指出：「《漢志》所載之書，以《隋志》考之，十已亡其六七；以《宋志》考之，隋唐亦復如是。」可見歷代書籍散亡的數量是很大的。這些散佚的書籍，往往在同時的其他文獻中，保存着某些片斷，後人把這些殘篇斷句，一點一滴鈎稽出來，滙集成書，這便是輯佚。通過這項工作，或使原書恢復舊觀，或使其文略存梗概，或補其佚篇，或訂其訛脫。對於文獻整理來說，輯佚的功用是不可低估的。

輯佚始於何時，是一個值得探討的問題。過去一直認爲宋末王應麟所輯鄭玄《易注》《書注》《三家詩考》是我國輯佚工作的創始。《四庫全書總目》在《周易鄭康成注》條下指出：「應麟能於散佚之餘，搜羅放失，以存漢易之一線，可謂篤志遺經，研心古義者矣。近時惠棟別有考訂之本，體例較密，然經營創始，實自應麟。」在《詩考》條又指出：「古書散佚，搜採爲難，後人踵事增修，較創始易於爲力，篳路藍縷，終當以應麟爲首庸也。」章學誠《校讎通義・補鄭篇》也曾詳細論述王應麟所輯三書爲最早的輯佚著作，他認爲「後代好古之士，綴輯遺文」，不過「踵其成法」。此後，皮錫瑞《經學歷史》、梁啓超《中國近三百年學術史》，以及當代的一些學者如謝國楨《史料學概論》等著作，論及輯佚，也都認爲開始於宋末的王應麟，這是很值得商榷的。從現存資料看，輯佚開始的時間，似可大大提前，至少在唐代就已有人從事過這項工作。

從理論上說，有流散就可能有輯佚，它的起源應該比較早。而且摭拾遺文，補正史乘，原是我國文獻整理工作者的優秀傳統。《漢書藝文志・兵書略》中記載：「武帝時，軍政（正）楊僕，捃摭遺逸，紀奏《兵錄》，猶未能備。」楊僕奏上的《兵錄》，是一部兵書的目錄，這裏所說的「捃摭遺逸」可能就有輯佚性質，《史記・三王世家》云：「太史公之列傳，傳中稱〈三王世家〉，文辭可觀，求其〈世家〉，終不可得。竊從長老好故事者取其《封策書》，編列其事而傳之」。可見褚少孫補《史記》，也曾輯取遺文，不難想像，其中當有散佚的文獻。當然，這種早期的輯錄遺佚的工作，是不規範的，是處在萌芽狀態的。

梁庾仲容取周秦以來諸家雜記凡一百七家，摘取其中要語，成《子抄》三十卷，唐代馬總認爲庾書繁略失中，復增損之，取七十一家，輯成《意林》一書。按梁代藏書，既經侯景之亂，復遭周師入郢，焚燬殆盡，此卽牛弘所指書籍經歷的第五次厄運。社會動亂，民間藏書，失散尤多，故梁時庾仲容《子抄》所列一百七家，歷隋迄唐，至馬總之時，存者蓋亦幾希。《意林》所列，非據原書，係從《子抄》輯出，故其中當有部分輯佚成果。

《古文苑》二十一卷，不著編者姓名，陳振孫《直齋書錄題解》稱，世傳北宋孫洙（巨源）於佛寺經龕中得之唐人所藏。書中收錄東周至南齊的詩賦、雜文共二百六十餘篇，皆史傳、文選所不載。此書是否編於書籍見存之時，還是輯錄於原本已佚之後，也是一個值得探討的問題。《四庫提要》云：《古文苑》「所錄漢魏詩文多從《藝文類聚》《初學記》刪節之本」，「唐以前散佚之文，間賴是書以傳」，可見其中確實已有輯佚成份。從上述材料看來，唐代已有人從事過輯佚的嘗試，這該是不容懷疑的事實了。

近人葉德輝對輯佚起於王應麟也提出過不同意見，不過他還是以爲起於宋代。他說：「古書散佚，復從他書所引，搜輯成書，世皆以爲自宋王應麟輯《三家詩》始，不知其前卽已有之。宋黃伯思《東觀餘論》中，有〈跋愼漢公所藏相鶴經後〉云：『按《隋經籍志》《唐藝文志》，《相鶴經》皆一卷，今完書逸矣。特從馬總《意林》及李善《文選注》、鮑照《舞鶴賦》抄出大略，今眞靜陳尊師所書卽此也』。……據此，則輯佚之書，當以此經爲鼻祖。」（《書林清話·卷八》）他認爲從《意林》和《文選注》裏抄錄《相鶴經》應屬輯佚工作，黃伯思（一〇七九—一一一八）的確也比王應麟（一二二三—一二九六）早得多。

南宋著名史學家鄭樵（一一〇三—一一六二）曾提出「書有亡者，有雖亡而不亡者」。他認爲散佚的古書，有一部分保存在經書、史書、總集、韻書、地志、譜錄和其他書籍之中，「凡此之類，名雖亡而實不亡者也」。鄭樵雖不以輯佚名家，但他上述這些見解，卻爲後來的文獻工作者指明了輯佚的道路。同時，也說明宋代學者不但已經動手搜輯佚文佚書，而且當時已經出現了這方面的帶有指導性的理論。南宋高似孫（淳熙十一年公元一一八四年進士）所輯《經略》、《史略》、《子略》、《集略》、《騷略》、《緯略》諸書，至清乾隆時，惟《子略》《騷略》與《緯略》尚存。《四庫總目·子部》《緯略》條引明沈士龍跋「稱其〈愍騷〉、〈招隱〉、〈八風〉、〈圍棋〉、〈氍毹〉、〈禡牙〉之類，全錄《藝文》、《初學》、《北堂》、《御覽》諸書，無所增輯」云云，說明高似孫已着手從唐代和北宋的類書中去輯錄佚文了。

這些，都足以證明輯佚不始於王應麟，當然，王應麟所輯三書，尚不失爲現存較早的輯佚專著。

元代輯佚工作，無足稱述。惟元末明初陶宗儀輯《說郛》，《四庫提要》謂其書中所收資料，「亦有原本久佚，而從類書中抄合其文，以備一種者……古書之不傳於今者，斷簡殘篇，往往而在，佚文瑣事，時有徵焉」。《說郛》雖爲筆記叢刊性質的書，但從它編集的情況看，其中確實保存有古書的佚文。

古本《竹書紀年》是西晉時期發現的《汲冢書》的一種，唐代以後，所有《汲冢書》逐漸散失，古本《竹書紀年》到南宋只剩下三卷，至明代並此三卷亦亡。然明嘉靖年間，忽又出現《竹書紀年》上下兩卷，這便是今本《竹書紀年》。清人錢大昕在《十駕齋養新錄》裏懷疑今本《竹書紀年》爲後人僞托。姚振宗根據范氏《天一閣書目》的記載，考證出今本《

竹書紀年》爲范欽所輯（說詳《隋書經籍志考證》卷十二）書中雖有增刪甚至僞造的成分，但確實也輯錄了一些古本《竹書紀年》的佚文。

明代眞正的輯佚專著，當推孫瑴的《古微書》，書凡三十六卷，摘錄《十三經注疏》、《二十一史》書、志、《太平御覽》、《玉海》等書中所引緯書佚文，加以編集而成。共輯《易緯》、《尙書緯》、《春秋緯》等緯書十種七十二卷。清代朱彝尊《經義考》「毖緯」一門所引，據出瑴書者十之八九，可見其取資之富，用力之勤。只是《古微書》各條均不注出處，其間亦多疏略。清儒增輯之本，以趙在翰所輯《七緯》三十八卷，最爲完備。

明代後期，著名藏書家祁承㸁，在《澹生堂藏書約·藏書訓略》中，曾提出了輯佚的理論和方法，對後代的輯佚工作影響很大。這可以看作晚明時期的輯佚工作逐步走向成熟之標誌。

清代是輯佚工作的鼎盛時期。清人注重「漢學」，輯佚的目標，比較集中於漢人的經說，早在《四庫全書》編輯之前，惠棟即已排斥王、韓《易》注，從事漢《易》研究，他從唐代李鼎祚《周易集解》中刺取孟、京、干、鄭、荀、虞諸家舊注，分家疏解，成《易漢學》八卷，後又繼續輯錄漢人佚注，擴充爲《九經古義》十六卷，雖未標原書出處，體例仍近自著，但畢竟是清代早期輯佚的重要成果，稍後，惠棟弟子余蕭客，遵其師說，輯《古經解鈎沉》三十卷，搜羅更加豐富。

清儒治經，最重「鄭學」，競輯康成遺著，成爲一時風尚。如黃奭輯《高密遺書》十四種，孔廣森輯《通德遺書》十七種，袁鈞輯《鄭氏佚書》二十一種，此其犖犖大者。陳鱣又別輯《六藝論》，錢東垣、王復等又先後別輯《鄭志》。鄭玄《尚書大傳注》、《駁五經異義》等，更有多種輯本，可見學風所尚。

在清代，不僅「經學」成爲學問的中堅，一些久墜的絕學，或前人未曾經意的學術，經過清人的搜羅整理，也卓然成爲專門學科。自明徐光啓以後，士大夫漸好治天文算學，清初則王錫闡、梅文鼎最爲專精，其後江永、戴震造詣尤深，各有專著專輯。自此經學家兼治天算，蔚然成風，它當然會反映在輯佚工作上。《四庫全書》館從《永樂大典》中輯出的自先秦至元代的古數學書，就有《九章算術》、《孫子算經》、晉劉徽《海島算經》、南北朝的《五曹算經》、《夏侯陽算經》、北周甄鸞《五經算術》、唐王孝通《輯古算經》、宋秦九韶《數學九章》、元李冶《益古演段》等。這些亡佚已久的專著，都被重新輯錄出來，成爲研究中國古數學史的有用史料。

著名大型類書《永樂大典》，清初本貯內府，康熙間因編官書，移置翰林院供參考之用，雍正、乾隆間，李紱、全祖望發現此中秘籍甚多，相約抄輯。其時私人藏書家范氏天一閣，馬氏小玲瓏山館，亦托全氏請人代抄，從此這堆蛛網塵封，無人過問的古籍，逐漸引起學術界的注視。乾隆三十八年（一七七三年）安徽學政朱筠向清高宗遞上條陳說：「臣在翰林，常翻閱前明《永樂大典》，其書編次少倫，或分割諸書以從其類。然古書之全而世不恒覯者，輒具在焉。臣請敕擇取其中古書完者若干部，分別繕寫，各自爲書，以備著錄。書亡復存，藝林幸甚。」清高宗採納了他的意見，即下令組織人員，校核《永樂大典》，着手編纂《四庫全書》。因此可以說，《四庫全書》的編纂，其最早的動機，正是從輯佚引起的。四庫館開，即按此計劃進行，先後從《永樂大典》中輯出的書，錄入《四庫全書》及其「存目」中的，計經部六十六種，史部四十一種、子部一百三種，集部一百七十五種，總共三百七十五種，四千九百二十六卷，凡《四庫全書總目》標明「永樂大典本」的書，都是這次的輯佚成果。這樣有計劃、大規模的輯佚工作，是我國文獻史上罕見的驚人創擧。從《大典》中輯出的書，有不少卷帙浩繁的大書，如李燾《續資治通鑑長編》五百二十卷；薛居正《五代史》一百五十卷；郝經《續後漢書》九十卷；王珪《華陽集》七十卷；宋祁《景文集》六十五卷，其他二三十卷的書，不下數十種。

《永樂大典》所載諸書，皆明初見存之本，而古書頗多佚自宋元，非《大典》所能迻錄，故不能滿足清代學者搜羅古書的渴望，因而促使他們向上一步的輯佚，即利用漢魏古注、唐宋類書以及其他古籍，將《漢書藝文志》《隋書經籍志》以來史志著錄而今已佚諸書，次第輯出。從而使乾隆時期興起的輯佚之風，轉向縱深發展。

其在經部，《易》自惠棟輯《易漢學》以後，孫星衍、盧見曾、丁杰均各有不同輯本。孫堂、馬國翰所輯漢魏《易》注家數尤多。《尚書》注以孫星衍《尚書今古文注疏》、陳喬樅《今文尚書經說考》最爲知名。《詩》注着重鈎稽已佚的今文三家詩說，邵晉涵、宋綿初、嚴可均、馮登府各有專輯，陳壽祺、喬樅父子《三家詩遺說考》、《詩經四家異文考》，是其佼佼者，至近代王先謙《詩三家義集疏》出而集其大成。《三禮》鄭注素稱精博，可補者少。其餘《春秋三傳》、《論語》、《孝經》、《爾雅》古義舊注，輯本衆多，難以備述。

史部的輯佚，有兩個重點，一是輯古史，一是輯兩晉六朝人所著史。古史中的《世本》，清儒先後輯者就有錢大昭、孫馮翼、洪貽孫、雷學淇、秦嘉謨、茆泮林、張樹七家，茆、張二本最爲翔實。古本《竹書紀年》、洪頤煊、陳逢衡、張宗泰、林春溥、朱右曾、王國維皆有輯本，王輯最善。

兩晉六朝史學家著述最盛，其書百不存一，姚之駰輯八家《後漢書》、汪文台輯七家《後漢書》、湯球輯兩家《漢晉陽秋》、兩家《晉陽秋》、六家《晉紀》、十家《晉書》以及《十六國春秋》《三十國春秋》等多種，斷簡殘篇，摭拾以存梗概。

諸子所輯不多，嚴可均、章宗源、任兆麟、茆泮林等各有幾種輯本，影響不大。馬國翰、黃奭所輯先秦佚子，種類繁多，求全求備，不免眞僞雜陳。値得一提的是清人在整理子書時，已開始利用輯佚方法，校補佚文、佚注。如嚴可均輯補《商君書》，張澍輯補《司馬法》，王念孫補《荀子》，孫貽讓補《墨子》，王先愼補《韓非子》等；輯補佚注的，有孫馮翼輯司馬彪《莊子注》、許愼《淮南子注》等。校補佚文，輯校結合，這就要求輯者具有更深的功力，非淺學所能爲功。

集部諸書，較經、史、諸子晚出，六朝以來，文集散佚尤多，網羅不易。清康熙間敕編《全唐詩》、嘉道間編《全唐文》，後又編《全金詩》，其中頗有輯佚成果。私家所輯，張金吾輯《金文最》一百二十卷，費十二年始成，李調元輯《全五代詩》一百卷，網羅散佚，亦頗費艱辛。其最爲人稱道的，當推嚴可均輯《全上古三代秦漢三國六朝文》，歷二十七年始成，全書七百四十六卷，上起上古，下迄隋代，收錄作者三千四百九十七人。其取材除採自古書、古注、唐宋類書、明梅鼎祚《歷代文紀》、張溥《漢魏六朝一百三家集》以外，還廣採多方面的資料，自完篇至零章斷句，均加搜錄，雖有重複、遺漏和誤收之處，不過大醇小疵，它仍然是清代文獻整理和輯佚工作的重要成果之一。

輯佚叢書的出現，亦在清代乾隆以後，是輯佚工作發展的產物。《經典集林》洪頤煊輯，三十種，其中有《別錄》、《七略》、《氾勝之書》、《靈憲》、《渾天儀》等佚書。《漢魏遺書抄》王謨輯，一百零四種。多數是兩漢魏晉人的經說，其間雜有一些僞書。《二酉堂叢書》（一名《張氏叢書》）張澍輯，二十一種，兼收經史子集四部，尚有《三秦記》、《涼州異物志》、《沙州記》等關於西北地理方面的佚書。大型輯佚叢書有《黃氏逸書考》（原名《漢學堂叢書》）黃奭輯，收書二百餘種，分《漢學堂經解》、《通緯》、《子史鉤沉》、《通德堂經解》四個部分。馬國翰輯的《玉函山房輯佚書》，規模最大，收書五百六十九種，分經、史、子三編，經編包括「緯書」四十種。黃、馬兩家，輯錄雖富，其細已甚，常有兩三條數十字爲一種者，聊存資料而已。王仁俊有《玉函山房輯佚書續編》稿本，未刋。

到了現代，輯佚工作，已由經學附庸，考據學支流發展成爲科學研究、文獻整理的一種重要手段，輯佚的對象亦已由輯經說，輯子、史、詩文集擴大到小說、戲曲、詞、詩話、語言、科技文獻等方面。魯迅先生輯《古小說鈎沉》，從唐宋類書及其他著作中，廣爲搜錄，自先秦迄隋，共得三十六種，去取謹嚴，校勘精審。所輯《會稽郡故書雜集》，所整理的《嵇康集》，也都運用了輯佚和校勘的方法，從目錄入手，選擇善本作底本，輯錄材料，注明異同，寫出校語，把目錄、版本、校勘、辨僞、輯佚等方面的知識，融爲一體，綜合運用，因而他的輯本或校本，都具有很高的質量。

現代的輯佚成果，包括各個方面，音韻方面，有姜亮夫先生《瀛涯敦煌韻輯》等；戲曲方面有《永樂大典戲文三種》《元曲選外編》《元人雜劇鈎沉》等；詩詞方面有《校輯宋金元人詞》《全宋詞補遺》《全唐詩外編》等；詩話方面有《宋詩話輯佚》等；敦煌遺書方面有《敦煌變文集》、《敦煌曲子詞集》等，最近出版的《四庫輯本別集拾遺》（欒貴明輯）利用現存《永樂大典》殘本（按：已不及原書百分之四）與《四庫全書》所收「永樂大典本」別集核對，補輯了四庫漏輯的一千八百六十四條，工作之細，功力之深，是值得一提的。

二、輯佚的取材

清代早期，輯佚取材的重點，還在類書和古注，嗣後隨着考據學的興盛，輯佚由考據附庸，蔚爲大國，成爲專門之學，取材的範圍也有所開拓，及於金石刻辭、石窟遺書，近代更擴大到輯錄地下發掘的古寫本，海外流散佚書、早期的報刋、雜誌等。要而言之，輯佚的取材依據，約有以下十個方面。

㈠類書

古代類書，不僅是唐宋時期編的多存先秦兩漢、六朝遺文；後來編的，也同樣保存有唐宋以下的佚書。殘璣斷璧，捃拾不窮，是輯佚的重要資料來源。

《北堂書鈔》，虞世南在隋任秘書郎時所編，一百六十卷。書中避隋諱，《直齋書錄解題》也說「其書成於隋世」。書中摘引隋以前古籍中的詞句甚多，可惜不盡注明出處。

《藝文類聚》，唐歐陽詢奉敕編，一百卷。根據一千四百多種古籍，分門別類，摘錄滙集，事實居前，詩文列後，「文」與「事」合編在一起，是此書的一大特色，在類書中體例最善。它往往整篇地徵引詩文，是一部富有文學價值的類書。所引唐以前古籍十分之九已經亡佚，皆賴此書以存。明馮惟訥輯《詩記》，梅鼎祚輯《文紀》，張溥輯《漢魏六朝百三家集》，淸嚴可均輯《全上古三代秦漢三國六朝文》，採輯此書的材料最多。

《太平御覽》，宋李昉等奉敕編，一千卷。以前代類書《修文御覽》《藝文類聚》《文思博要》爲藍本，修葺增删而成，引用資料極爲浩博，引書達二千五百七十九種之多（據馬念祖統計數字），其中十之七八都已失傳。《御覽》中保存有漢人傳記一百種，又有地理書約三百種（據王謨《漢唐地理書抄·凡例》）又如隋後失傳的讖緯之學，論述農業技術的《范子計然》和《氾勝之書》，晉代出土的古史《竹書紀年》《古文瑣語》以及久已佚失的崔鴻《十六國春秋》原本，都因《太平御覽》的徵引，使後人還能略窺梗概。阮元在鮑刻《太平御覽》序言中說：「存《御覽》一書，卽存秦漢以來佚書千餘種矣。」《御覽》保存的佚書佚文比其他類書都多，而且又都注明出處，所以清代學者把它看作輯佚的寶山，把它視爲類書之冠。

《册府元龜》，宋王欽若、楊億等奉敕編，一千卷。內容包括上古至唐、五代十七史的材料，是一部歷史性的類書，所採以「正史」爲主，間及經部、子部，不錄小說。採集範圍不及《太平御覽》廣泛，又沒有注明出處，是其不足。但它保存的史料比較豐富，所輯史籍，都是北宋以前的古本，唐、五代史料尤爲詳備，因而對輯佚和校勘都很有價值。

隋、唐、宋的這四部類書，在清代被稱爲「四大類書」。清嚴可均〈書陳禹謨刻本《北堂書鈔》後〉說：「今陳刻亦漸稀罕，收藏家率購以多金，備「四大類書」之數」，指的就是這幾部在輯佚、校勘工作中起過重要作用的類書。除此而外，唐代的《初學記》《白氏六帖》，宋代的《事類賦》《山堂考索》《事文類聚》《錦繡萬花谷》《玉海》，元代的《群書類編故事》等，也常爲輯佚者所取資。

明初編纂《永樂大典》，收集宋元以前重要圖書文獻七、八千種，內容的浩博，在世界文化史上是無與倫比的。清代編《四庫全書》時，從《大典》中輯出的書，有三百八十八種。

還有雖已輯出，未及列入《四庫》者，如《宋元兩鎭志》《奉天錄》《九國志》等。此後徐松輯《宋會要》，其中大部分史料亦輯自《大典》。《四庫》館臣利用《大典》輯錄佚書並沒有淨盡，從僅存的《大典》殘本中，仍然可以輯出不少東西。朱啓鈐、劉敦楨從《大典》殘本輯出元代薛景石撰的《梓人遺制》這部古代工程書，胡道靜從《大典》殘本輯出宋代吳懌撰的《種藝必用》和元代張福撰的《種藝必用補遺》這兩種古農藝書。此外，趙萬里輯《校輯宋金元人詞》等，唐圭璋輯《全宋詞》《全金元詞》，隋樹森輯《全元散曲》，都曾利用元明清三朝的類書，特別是利用《大典》殘本，增補了許多佚篇。

最近，中華書局將一九六〇年以來徵集到的六十七卷《永樂大典》影印出版，爲文獻輯佚工作，提供了新的重要資料。

㈡ 古注

清代學者從漢人經注中，輯錄先秦和漢代人的經說，從唐人義疏中，輯錄魏晉人的經說，滙成輯本，已取得不少成績。除經注外，最受重視的古注，當推裴松之《三國志注》、酈道元《水經注》、劉孝標《世說新語注》以及李善《文選注》等。

裴松之於南朝宋元嘉六年（四二九）奉詔爲陳壽《三國志》作注，他認爲《三國志》是「近世之嘉史，然失之於略，時有所脫漏」，因此他爲此書作注，「務在周悉，上搜舊聞，旁摭遺逸……其壽所不載，事宜存錄者，則罔不畢取，以補其闕」。（裴松之〈上三國志表〉）可見他不但爲《三國志》作注釋，更重要的是還作了大量增補。裴注的文字，比陳壽原書多出三倍，開創了作注的新例。這種增補遺逸的做法，爲後來史家所仿效，其子駰，作《史記集解》，司馬貞作《史記索隱》，都受裴注的啓發。裴松之《三國志注》徵引的古書有一百五十九種，現在多已亡佚，幸賴裴注徵引，保存了部份內容。

舊有《水經》，記述我國河流水道一百三十七條，至北魏酈道元爲之作注，即《水經注》，補充記述河流水道至一千二百五十條。此書名爲注釋《水經》，實則是以《水經》爲綱，作了大量的補充和發展，注文二十倍於原書，蓋已自成巨著。書中對涉及的地理情況、建置沿革、歷史事件、有關人物以及神話傳說，無不窮源竟委，博引繁徵，引用書籍多至四百三十七種，今多不傳。書中還記錄了不少漢魏碑刻。

《世說新語》是南朝宋劉義慶所撰的古小說集，主要記載晉代士大夫的言談、軼事。梁劉孝標爲作注釋，即《世說新語注》，引書四種餘種，現多散佚，賴其注文以傳。

《文選》南朝梁蕭統編。成書以後，就有一些人作過注釋，如隋朝的曹憲，就曾以「選學」名家，但他們的注本都已失傳，唐李善作《文選注》，分爲六十卷，引用書籍達一千六七百種之多，以博洽見稱。後出的「五臣注」，偏重於解釋詞句，保存的資料，遠不及李善注本繁富。

除上述幾家之外，裴駰的《史記集解》、司馬貞的《史記索隱》、張守節的《史記正義》

、顏師古的《漢書注》、李賢的《後漢書注》、胡三省的《資治通鑑音注》等等，其中也有不少資料可供輯佚取資。

音韻訓詁方面，以《玉篇》《經典釋文》《一切經音義》等，保存資料爲多。

《玉篇》，南朝梁顧野王撰，原本《玉篇》收一萬六千九百十七字，釋字以音義爲主，於《說文》多有增補，每字之下，先注反切，再引群書訓詁，解說頗詳。宋以後流行的經過孫強增字，又經陳彭年重修的《大廣益會玉篇》已非顧氏之舊，收字雖多，注釋簡略。清末黎庶昌出使日本，得唐寫本《玉篇》四卷，僅及原書十分之一二，刻入《古逸叢書》，後人從事輯佚，更重視《玉篇》殘卷。

《經典釋文》，唐陸德明撰，列《易》《書》《詩》《三禮》《三傳》《孝經》《論語》《爾雅》諸經及《老子》《莊子》。六朝競尚玄學，將《老》《莊》亦列於經典。（《孟子》在宋熙寧以前未列爲經，故此書無《孟子》）書中採輯漢、魏、南北朝音切凡二百三十餘字，兼載諸儒訓詁，考證各本文字異同，佚文古注，往往賴以得存。

《一切經音義》唐釋慧琳撰，一百卷。博採古代諸家韻書、字書以釋衆經音義。共釋佛經一千三百部、五千七百餘卷。所釋音義，凡韻書、字書未備者，更廣引經傳爲證。其所徵引，多後世失傳之本。慧琳此書，採合玄應《一切經音義》、慧苑《華嚴經音義》等，經歷二十餘年撰集始成，其中保存佚失已久的音韻、訓詁資料很多。

(三) 子史群書

諸子之可供輯佚取材者，雖不若類書古注材料之多，然先秦子書如孟、荀、《莊子》和漢代子書《春秋繁露》《論衡》等，也都保存有古子家說，鉤玄索隱，未嘗不可集腋成裘。梁啓超說：「以吾所見，輯子部書尚有一妙法：蓋先秦百家言，多散見同時人所著書，例如從《孟子》《墨子》書中輯告子學說；從《孟子》《荀子》《莊子》輯宋鈃學說；從《莊子》書中輯惠施、公孫龍學說；從《孟子》《荀子》《戰國策》書中輯陳仲子學說；從《孟子》書中輯許行、白圭學說。……諸如此類，可輯出者不少，惜清儒尚未有人從事於此也。」（《中國近三百年學術史》）

史部群書，門類很廣，它本身就是一個取用不竭的史料寶庫。清嚴可均輯《全上古三代秦漢三國六朝文》、今人逯欽立輯《先秦漢魏晉南北朝詩》，這兩部有影響的大型總集，其中很多詩文資料，採自各種史書。嚴書還在《凡例》中規定「詔令書檄，有可考爲某人具草者，歸入撰人集中」。逯書附「引用書目」二百五十餘種，其間亦以史書、子書爲多。

(四) 總集

《文選》選錄先秦至梁的詩文辭賦爲三十八類，共七百餘首。是我國現存最早的文學總集。《文苑英華》上承《文選》，輯錄南朝梁末至唐末作家二千二百餘人，作品近二萬篇。其中南朝詩文居十分之一，唐人詩文占十分之九，唐代散佚諸集，多賴此書得存。清代編《全唐詩》《全唐文》取材於《文苑英華》者頗多。《玉臺新咏》則是繼《詩經》《楚辭》之後的古詩選集，惟大部分是艷情、宮體輕靡之作，錄自漢至梁五言詩與歌行，保存了一部份樂府民歌及六朝前的已佚詩篇。此外，其他詩文總集尙多，有的專收郡邑遺文，有的專收氏族遺著，研究古代地方文獻的人，亦可從中輯錄佚失的資料。唐以前別集之見存者惟阮籍、嵇康、陸雲、陶潛、鮑照、江淹六家，《蔡邕集》蓋宋人重編，此外，現在流傳的漢魏六朝別集自董仲舒、揚雄、東方朔、曹植至徐陵、庾信，共二十四家，皆明人纂輯之本。這些輯本，除取資於類書、史傳外，很多輯自各類總集。

(五) 雜纂雜鈔

雜纂雜鈔指的是「類輯舊文，塗兼衆軌」的資料滙編性質的書，略擧如下：

《意林》採用秦以來諸家雜記凡七十一家，所採諸子，今多不傳者，惟賴此以存梗概，其傳於今者，如老、莊、管、列諸家，亦多與今本不同。宋黃伯思《東觀餘論》說所見《相鶴經》是從馬總《意林》、李善《文選注》、鮑照《舞鶴賦》中「抄出大略」的，說明宋人已利用《意林》進行輯佚。《紺珠集》和《類說》所採多百家之說，《類說》引書二百六十一種。《紺珠集》引書僅一百三十七種，然去取頗有同異，未可偏廢，且其所見之書，多爲古本，足與後世傳本參討，裨助多聞。《說郛》亦仿曾慥《類說》之例，每書略存大概，亦有原本久亡，而從類書之中鈔合其文，以備一種者，陶珽重校本所採凡一千二百九十二種（其中有錄無書者七十六種）要皆零篇碎句，斷簡殘文，可以聊資考證。

此外，有些宋元筆記，往往也保存一些珍貴史料，可供輯取。

㈥ 地方志

地理志乘之書，以《太平寰宇記》《方輿勝覽》《輿地記勝》等對後世影響爲大。《太平寰宇記》採摭繁富，考據精核，對於列朝人物，一一幷登，題咏古蹟的文字，亦皆錄入。後代編輯方志，必列人物、藝文，這種體例都是《寰宇記》創始的。《方輿勝覽》一書，尤有特色，書中對名勝古迹，多所臚列，而詩賦序記，所載獨備，《四庫提要》說它「蓋爲登臨題詠而設，不爲考證而設，名爲地記，實則類書也。然采摭頗富，雖無裨於掌故，而有益於文章」。因而歷來輯佚詩文者亦頗重視此書。《輿地記勝》成書於南宋嘉定年間，據各郡圖經，錄其要略而成，每郡自成一編，各邑次之，山川、人物、詩文附於後。輯宋代地理人文者，多所取資。

此外，各地的通志、府志、州志、縣志等等，其所記地理沿革、人物、藝文諸項，往往保存有非常珍貴的第一手資料，是地方文獻的寶庫，也是輯佚的重要淵藪。魯迅先生輯賀循《會稽記》、孔靈符《會稽記》、夏侯曾先《會稽地志》等佚書，除採用類書、古注外，還大量採用《太平寰宇記》《輿地記勝》《嘉泰會稽志》《寶慶會稽續志》《寶慶四明志》《剡錄》《延祐四明志》等宋元時期的著名地方志書。

(七) 金石

金石類書籍種類繁多，王昶《金石萃編》一百六十卷，搜羅最備，其書著錄三代至宋末遼金歷代石刻一千五百餘件，按時代編次，摹錄原文，間加訓釋，保存了大量的文字資料，常為輯佚者所採摭，續書有方履籛《金石萃編補正》四卷、王言《金石萃編補略》二卷，陸耀遹《金石續編》二十一卷、陸增祥《八瓊室金石補正》一百三十卷，特別是近人趙萬里《漢魏南北朝墓誌集釋》十二卷，提供碑文資料尤多，為用更廣。

清代輯錄的一些大型詩文總集，網羅遺佚，早已注意到金石文字。嚴可均《全上古三代秦漢三國六朝文》就廣泛輯錄了「收藏家秘笈，金石文字」（見該書〈總敘〉）。他在該書〈凡例〉說：「是編創始於嘉慶十三年，時初開全唐文館，館臣以唐碑或有王侍郎昶《金石萃編》未載者，屬為廣輯，既錄本呈館，遂幷錄唐以前文」，進而開始了輯錄全書的工作。

《全上古三代秦漢三國六朝文》是《全唐文》的前接部分，這兩部巨著同樣都輯錄了金石文字。

現代編纂的詩文總集甚多，都很重視搜集碑刻遺文，例不煩舉。一九八二年出版的陳述輯校的《全遼文》，輯錄遼代碑文拓本和新近出土的遼碑墓志，占全書的很大比重。根據文獻記載，當年遼國書禁甚嚴，傳入中土者法至死（見《夢溪筆談》十五），又禁私刊文字，故書籍流傳無多，元修《遼史》，已有文獻失徵之嘆。倉卒成書，未足具見一代之制作。無怪乎時至今日編輯《全遼文》不得不致力於金石碑文的輯佚了。

(八) 石室秘藏和地下發掘材料

清光緒庚子年間（一八九九年）發現的敦煌莫高窟藏書，皆唐五代人手寫，並有雕本，佛經尤多，還有不少文學作品，最令人珍視的有唐、五代詞和變文。變文是唐代說唱體文學作品之一，它對後代的鼓詞、彈詞有顯著影響。這種文獻也是在敦煌石室中首次發現的，是研究中國古代說唱文學和民間文學的重要資料，近人輯有《敦煌變文集》。

唐末韋莊所作的長篇敘事詩《秦婦吟》，其《浣花集》中未收，清末始於敦煌所藏唐、五代寫本中發現。

敦煌石室寫本，已經整理印行者，主要有《敦煌石室遺書》《鳴沙石室佚書》《鳴沙石室古籍叢殘》等，它本身是輯佚專集，又可作爲後人輯校佚書佚文的依據。王重民的《敦煌古籍敍錄》可以幫助我們了解敦煌遺書的概貌。

一九四九年以後，從地下發掘出古代佚書已有多起，一九五九年甘肅武威漢墓出土的《儀禮》簡和醫方簡，一九七二年山東臨沂銀雀山西漢墓出土的《六韜》《孫臏兵法》等兵書簡。一九七五年底湖北雲夢睡虎地秦墓出土的秦代法律、文書簡。特別值得一提的是一九七三年十二月從湖南馬王堆三號漢墓出土的二十多種十二萬多字的帛書，其中有《老子》甲本、《老子》乙本、以及《老子》甲本卷後無篇名的四篇佚書，《老子》乙本卷前的《經法》《十大經》《稱》《道原》四種文獻，歷來都沒有傳本，這些在地下沉睡了二千一百多年的佚書佚篇的出土，是我國考古學的驚人發現，是古典文獻整理的巨大收獲，是唐、宋、明、清從事文獻整理的人不可能得到的有利條件。現在，這大批出土的佚書和尚不知名的佚書佚文，亟待我們去清理鑒別，整理利用。

(九) 海外流散佚書

我國的古典文獻，流傳到朝鮮和日本的比較多，尤其是日本。早在隋唐時期，中日兩國交往就很頻繁，日本先後多次派遣「遣隋使」「遣唐使」來華。這些日本使節、留學生、僧侶，回國時帶去不少中國典籍和佛家經典，現存的《日本國見在書目》錄書一千五百七十九部，一萬六千七百九十卷，反映了隋唐時期中國典籍傳入日本的基本情況。宋元時期大量唐寫本、宋刻本傳入日本。明代後期通過各種方式和途徑傳入日本的中國典籍，約近萬種之多。二十世紀初日本島田翰代表岩崎小彌太，以十萬零八千日元，購走我國海內四大藏書家之一的歸安陸氏「皕宋樓」全部藏書四千部，二十萬卷，四萬四千餘册，其中不少是宋、元珍本及名家抄校本。大批文獻外流，是我國民族文化的重大損失。

一七九四年至一八一〇年日本林衡編《佚存叢書》收書十七種，一百十一卷，其中許多書籍在中國早已失傳。清阮元奏四庫未收書，採自《佚存叢書》的就有《五行大義》《臣軌》《樂書要錄》《兩京新記》《文館詞林》等十種。清光緒時，黎庶昌出使日本，搜訪到流散在日本的宋本《爾雅》、宋本《穀梁傳》、至正本《易程氏傳》、元本《楚辭集注》、舊抄本《玉燭寶典》等二十六種，經楊守敬詳校編爲《古逸叢書》，其中不少是國內亡佚之本。舉此兩例，可見流散國外的大量古代典籍，是今後輯佚工作的一個重要資源。

(十) 報刊雜誌

革命文獻，近代名家的早期作品，在編輯文獻滙編或全集時，一時難以搜羅全備。有些佚篇，往往能從早期刊物裏找到，所以報刊雜誌也是當代整理文獻進行輯佚的一個重要資料來源。

魯迅先生的作品，除見於自一九三八年前夕至一九四九年初期編輯出版的《魯迅全集》、《全集補遺》、《全集補遺續編》、《書簡》、《日記》以外，還有很多佚篇。《魯迅佚文輯》（一九七六年解放軍報社編）主要材料就是從一九四九年前的報刊、雜誌中輯錄來的，所輯材料有《越鐸日報》《大公報》《申報》《晨報》《周報》《中華日報》《青島時報》以及《歌謠》周刊，《北新》半月刊、《語絲》周刊、《文藝新潮》月刊、《北斗》、《鐵流》、《洪荒》月刊、《論語》半月刊等。許廣平的《研究魯迅文學遺產的幾個問題》（景宋）一文，也發表在《周報》上，（一九四五年九月廿九日和十月六日）這些佚文佚篇的發掘整理和編訂成書，說明傳統的輯佚方法，同樣可以爲現代文獻整理工作發揮作用。

三、輯佚的方法和注意點

唐宋時期，已有人開始從古書中輯錄佚文，但眞正提出輯佚的理論和方法，時間卻已經比較晚了。南宋鄭樵在《通志·校讎略》中曾指出：「古書有亡者，有雖亡而不亡者。《文言略例》雖亡，而《周易》具在；漢魏吳晉鼓曲雖亡，而樂府具在；《三禮目錄》雖亡，可取諸《三禮》；《十三代史目錄》雖亡，可取諸《十三代史》……」他還舉出許多例子，說明古書雖然亡了而實際並沒有亡。他提到「李騰《說文字源》不離《說文》；《經典分毫字樣》不離《佩觿》」；「唐人小說，多見於《語林》，近代小說，多見於《集說》」。鄭樵這些說法，大致包括兩方面的意思，一是有的古書亡佚了，可以根據另外的古書重新編寫；一是有的古書亡佚了，它的內容保存在另外的古書當中，可以重新錄出。前一點言之太易，做起來卻比較艱難；後一點對於從古籍中輯錄佚書，確實大有啓發。

明萬曆間祁承㸁在《澹生堂藏書約·藏書訓略》中進一步指出：「如書有著於三代而亡於漢者，然漢人之引經多據之；書有著於漢而亡於唐者，然唐人之著述尚存之；書有著於唐而亡於宋者，然宋人之纂集多存之。每至檢閱，凡正文之所引用，注解之所證據，有涉前代之書而今失其傳者，卽另從其書各爲錄出。」祁氏這些說法比宋代鄭樵有了很大發展，他明確地提出「另從其書，各爲錄出」的輯佚的具體方法，對清代輯佚工作的蓬勃興起，影響很大。

輯佚的具體步驟如何，過去書中很少見到。根據前人的實踐經驗，通常採用的輯佚方法，大致可以歸納爲以下幾點：

(一) 摘錄佚文

這是輯佚的基礎工作。發現佚文，隨手摘下，並在文句下注明出處。例如：

魯迅輯《列異傳》：

黃帝葬橋山，山崩無尸，惟劍舄存（《御覽》六百九十七）

以上佚文，只有一個出處，加以注明卽可。

魯迅輯《玄中記》：

千歲樹精為青羊，萬歲樹精為青牛，多出遊人間。《類聚》九十四、《御覽》九百一引首句；《初學記》二十九、《白帖》九十六引次句；《珠林》二十八、《類聚》八十八引前二句；《御覽》八百八十六引全。

以上殘文剩句，出自多種類書，經過整理歸納，方才聯貫可讀。（上兩例採自《古小說鈎沉》）。

(二) 選擇底本

載有佚文的書籍，有遲有早，有詳有略，從事輯佚，一般都挑選成書較早、記載較詳的典籍爲底本。如《述異記》記陸機所畜「黃耳犬」的故事，《藝文類聚》《御覽》《廣記》《事類賦注》《初學記》《草堂詩箋》均有記載，《藝文類聚》所記最詳，時代也比較早，故魯迅所輯，卽以《類聚》爲底本。

如果最早的典籍記載簡略，採作底本，還須再輯其他資料，補綴成文，並加注說明。

(三) 注明異同

各書引文，互有詳略，輯錄佚書時應加整理，標明異同，夾注文內。例如：

魯迅輯《漢武故事》「顏駟三世不遇」：

上嘗輦至郎署，見一老翁，鬚鬢（《御覽》引或作眉）皓白，衣服不整。（《御覽》引或作完，今依《書抄》一百四十）上問曰：「公何時為郎，何其老也？」對曰：「臣姓顏名駟，江都人也，以文帝時為郎。」上問曰：「何其老而不遇也？」駟曰：「（三句《御覽》引有）文帝好文而臣好武，景帝好老而臣尚少；（《詩箋》少下有今字）陛下好少而臣已老；（《選注》引作至景帝好美而臣貌醜，陛下即位好少而臣已老）是以三世不遇，故老於郎署。」（《選注》引有此句）上感其言，擢拜會稽都尉。（《御覽》三百八十三、又七百七十四《文選·張衡思玄賦注》《後漢書·張衡傳注》《紺珠集》九《草堂詩箋》二十九。）

輯者將《北堂書鈔》《御覽》《文選注》《後漢書注》《紺珠集》《草堂詩箋》等六部書所徵引的材料，歸納整理，並在句下注出其異同之處，這是輯錄多種出處的佚文的常用方法。

(四) 校正文字

有些佚文，或文字簡略，或首尾不全，或訛奪較多，非經校勘，不能卒讀。所以校正文字，也是輯佚的一個重要環節。例如《紺珠集·九》載有《漢武故事》的一則佚文：

靈旗，畫日月斗、大吏奉以指所伐國。

魯迅在輯《漢武故事》時，根據《漢書》所記，作了如下校補：

上為伐南越，告禱泰一，為泰一鋒旗，命曰（以上依《漢書．郊祀志》補）靈旗，畫日月斗，大吏（《漢書》作大史．此當誤）奉以指所伐國。

又如魯迅所輯《小說》（即《殷芸小說》）有如下一則佚文：

宣帝問真長：「會王如何？」劉佚答曰：「欲造微。」桓曰：「何如卿？」曰：「殆無異。」桓溫乃喟然曰：「時無許郭，人人自以為稷契。」

宣帝不可能與劉眞長同時，令人不解。魯迅在「宣帝」下加校語說：「疑是宣武之誤。」宣武就是下文的桓溫，這樣上下文就通暢了。另外，余嘉錫輯《殷芸小說》，又在「會王」下加校語說：「會王當作會稽王，即簡文帝。」有了這兩家的校語，對讀懂佚文，幫助很大。

㈤ 恢復篇第

佚文散見各書，東鱗西爪，不相聯續，這就要求輯者參照他書，考其體例，分類排比，方可成編。恢復原書篇第，是輯佚的最後一個環節，也是比較重要的一道工作。清乾隆年間編《四庫全書》時，從《永樂大典》中輯錄佚書，所花工力，難易懸殊很大。如《續通鑒長編》五百餘卷，全在《大典》二宋韻的「宋」字條下；《東觀漢記》在一東韻的「東」

字條下，這兩種書，只須照本移錄，全文抄下，即可成編。而薛居正的《舊五代史》材料散見《大典》各條，篇第凌亂無序，邵晉涵等從《大典》各韻所引，一點一滴鈎稽出來，又廣引諸書，如《新五代史》《舊唐書》《五代會要》《資治通鑒》《九國志》《十國春秋》《太平御覽》《册府元龜》等一百多種典籍，見有援引《薛史》舊文，即分條抄出，充實到各卷之中，補闕訂誤，爲輯出的佚文，作了大量的校補。然後參照原書篇目，釐訂成編。雖其本來面目，難以完全恢復，但經過這一番工作，尚得原書十之八九。所費精力，功等新編，最爲識者所稱道。

要做好輯佚工作，除掌握上述方法以外，還要注意以下幾點：

1. 廣泛網羅佚文

輯一部佚著，宜滙集衆本，從各本中鈎稽材料，然後整理寫定。取材廣，佚文全，輯本的質量就高。本子多了，異文齊備，也便於校注異同。

郭氏《玄中記》一書，最早見於《說郛》，甚爲簡略。清代黃奭、茆泮林、馬國翰曾有輯本。其後葉德輝輯《玄中記》，在序中曾論及茆泮林、馬國翰輯本「挂漏甚多，其中如《醫心方》《莊子》成玄英疏、《玉燭寶典》等書，近日始出自東海，當時固無由見，然如宋人《古玉圖譜》《經史證類本草》之屬，亦未檢及，卽《書鈔》《御覽》所引，且有遺而未採者，則疏漏之過也。」其後，魯迅輯《玄中記》，廣泛網羅散佚，引用了三十二種古籍，所採唐宋類書就有九種，其中敦煌石室所出唐寫本類書殘卷等書，葉德輝也未必見到，是以魯迅的輯本，材料比葉德輝更加完備。

輯一家遺說，首先要研究學術源流，理清有關學派的淵源關係。古代學者重視師承，認爲某人治某氏之學，因而他著作中保存的資料，就體現了某派的學說，如果這種著作散佚了，那麼從傳他學說的同一派學者的著作裏，也可以鈎稽出這一學派的遺說。清代陳喬樅採用這種辦法，並參考和採錄了其他古籍引用的材料，輯成《三家詩遺說考》；惠棟用這種辦法，收錄各書所引漢儒論《易》的說解，輯成《易漢學》，都是從理清學術源流入手的。這是輯佚的又一種方式。

輯一代遺文或一種文體的總集，更要廣搜各類資料。嚴可均編《全上古三代秦漢三國六朝文》，除採納明代梅鼎祚《文紀》和張溥《百三家集》外，搜集材料的範圍很廣，他自己在〈序言〉中說：「廣搜三分書，與夫收藏家秘笈，金石文字，遠而九譯，旁及釋道鬼神，鴻裁巨制，片語單辭，罔弗綜錄。」網羅面相當廣泛，使後人在這一部書中可以看到唐代以前所有現存的或散佚的單篇文章，以及一些史論、子書等的輯佚。魯迅輯《古小說鈎沉》，着重取材於類書、古注、雜纂、筆記等等，還採及《玉燭寶典》《北戶錄》《猗覺寮雜記》《法苑珠林》《太平寰宇記》以及敦煌石室所出唐寫本類書殘卷等稀見書籍，材料最爲豐富。古代小說，前人多不重視，嚴可均、黃奭、馬國翰在輯錄史部或子部書時收錄了一些，馬國翰收錄稍多，也只收了《青史子》《語林》等八種。魯迅這個輯本，輯錄古小說達三十六種。

2. 認真刪汰繁蕪

《四庫提要》集部總集類小序說：「文籍日興，散無統紀，於是總集作焉。一則網羅散佚，使零章雜什，並有所歸；一則刪汰繁蕪，使莠稗咸除，菁華畢出。」所言雖爲編纂總集而發，然於輯佚工作，也有一定的指導意義。

輯佚要刪除的蕪雜成分，約有以下幾類：

(1) 僞篇應刪

去僞存眞是整理文獻的一個重要前提，也是保證質量的重要關鍵。沒有材料，最多得不出結論，但如果提供的是僞書僞篇，那麼勢必得出錯誤的結論，其後果勢必比沒有材料更壞。嚴可均輯《全上古三代秦漢三國六朝文》在〈凡例〉中明文寫出「宋以前依托畢登，無所去取。」就是說，對於宋以前的文章，他不再辨別眞僞，一律按照傳統的說法，統統收錄進去。因此這部書中有許多文章的時代和作者是有問題的，輯佚不結合辨僞，宜其爲論者所訾議。

(2) 不屬佚文，應刪

輯本中如果發現有些資料，不是眞正的佚文，必須刪去。王先愼《韓非子集解》從《北堂書鈔》卷一百二十四引「孫叔敖相楚，糲飯菜羹，枯魚之膳」一段，作爲《韓非子》的佚文，其實這段話尙載《外儲說．左下》並非佚文。嚴可均批評張溥《百三家集》「以張釆《文鈔》爲藍本……然如《褚少孫集》，止從《史記》寫出，無他書隻字，抑何不憚煩也。」

所以嚴氏自己的輯本，不列褚少孫，認爲不是佚文，這是頗具識見的。

⑶無用材料，應删

搜錄佚文，應該有所剪裁。對於那些瑣碎零星，殘行剩字，以及重見複出的字句，應加整理，删去繁複。此外，佚文一事兩見，也應歸併整理，删取其一。誤入的衍文，亦當删去，一併在文下加注說明。

3. 進行精密考訂

輯佚是文獻整理的方法之一，要提高輯本的質量，最好把輯佚和校勘結合起來，從版本、目錄入手，進行考辨。也就是說，把文獻整理的幾種基本方法，熔爲一爐，綜合運用，隨文所需，各有側重。以考作者，以查出處，以辨體裁，以訂誤字。

⑴　考作者

古人著書，有時體例不甚嚴謹，有的引文，署名不清，還有經過輾轉傳抄，造成訛誤，這種例子是很多的。後人搜集整理，難以遽下結論。例如劉向、劉歆父子都有目錄學著作，劉向作《別錄》，劉歆作《七略》，性質相近，頗易混淆，加之原書已佚，根據轉引的材料，更難判別。如《文選·曹植〈與楊德祖書〉》，李善注引《七略》「齊有稷，城門也，齊談說之士期會於稷下」這段引文，酈道元《水經注》、司馬貞《史記集解》（《田敬仲完世家》）引用時都說出於《別錄》，後人要辨別，是比較困難的。古代書名相同而作者不同的很多，如班固以後，范曄以前，編著後漢一個時代的史書，據王先謙在《後漢書集解述略》中的統計，約有十八家，其中以《後漢書》命名的就有謝承《後漢書》一百三十卷、薛瑩《後漢書》一百卷，華嶠《後漢書》九十七卷、謝沈《後漢書》一百二十二卷、袁山松《後漢書》一百〇一卷、劉義慶《後漢書》五十八卷，共六家。前人徵引的時候，如果僅標書名，不標作者，考訂起來就很困難。只有查到佚文與標有姓名的某家《後漢書》佚文相合，據此推斷，歸入某家。如果找不到這樣的線索，那就只有存疑了。

另外，一些輯本中關於作者的錯誤，也有比較顯而易見的，如嚴可均曾指出「《藝文類聚》有胡綜〈請立諸王表〉，梅氏編入《薛綜集》，蓋誤」，像這樣把胡綜訛爲薛綜的錯誤，只要覆按引文出處，卽可訂正。至於嚴氏自己的輯本《全陳文》所列楊肇著〈奏流拘那羅陀〉文，因見有「會楊肇碩望，恐奪時榮」一語，竟把「楊肇」當作人名，其實，楊肇卽楊都，也就是建業，不是人名。《全周文》列有所謂釋宗猷著《遺瓊法師書》，也是因爲見有「宗猷顧命，衆咸揖謝於莊」一語，竟把「宗猷」當作和尙的名字，其實「宗猷」是推擧的意思，也不是人名。（詳見該書一九五八年中華書局影印本〈出版說明〉）要防止或訂正像這樣的錯誤，那就要認眞考核原來的出處，並且還須具有相當的學力。

(2) 辨體裁

史書中記錄了古人談話的資料，這些資料的記載，多少加入了史家的潤色，未必是卽席發言的原稿，把它作爲發言人的文章，輯入他的專集，是否妥當，是值得商榷的。《史記·秦始皇本紀》敍述焚書時王綰、李斯的辯論，嚴可均竟把它作爲王綰、李斯的作品，收入了《全秦文》。又如《蜀志·諸葛亮傳》記載建安十二年劉備「三顧茅廬」，諸葛亮與他縱談天下大勢，爲他出謀劃策，這番談話，稱爲〈隆中對〉，後人編《諸葛亮集》，把它當作諸葛亮的作品。其實這是經過史家整理過的記錄，並不是諸葛亮揮筆寫下的文章。

張溥《漢魏六朝一百三家集》，「有本係經說而入之集者，如《董仲舒集》錄春秋陰陽，《劉向（集）》《劉歆集》錄〈洪範·五行傳〉之類是也；有本係史類而入之集者，如《褚少孫集》全錄補《史記》、《荀悅集》全錄《漢紀》論之類是也；有本係子書而入之集者，如《諸葛亮集》錄《心書》，《蕭子雲集》錄《淨住子》是也。」《四庫提要》例舉上述各條批評他「編採亦往往無法」，指的正是不辨體裁造成的錯誤。

(3) 查出處

古代筆記小說所記軼聞傳說，往往一事數見，界限難分，很難考出哪是最早的出處。嵇中散「耻與魑魅爭光」的故事，《書鈔》《類聚》《御覽》《六帖》所記，出於《裴子語林》，而《太平廣記》所錄，謂出於《荀氏靈鬼志》；又如曹操令楊修解釋《曹娥碑》「黃絹幼婦，外孫齏臼」的故事，《學林》《草堂詩箋》《類林雜說》《琱玉集》謂出《裴子語林》，而《說郛》所引，故事略同，惟楊修作彌衡，卻謂出於《小說》。博達如魯迅先生，亦不能斷其孰是，他把上述故事輯入《古小說鉤沉》時，採取了兩存其說的辦法，在兩種佚書裏都錄入了同一故事的不同佚文。類似例子尚多，不備舉。

(4) 訂誤字

上文在講輯佚方法的時候，已談到異文校注的問題，這裏專就訂正佚文中的誤字，補充數例：

《太平御覽》六十六載孔靈符《會稽記》佚文「漢順帝永和五年，會稽太守馬臻創立鏡湖，在會稽、山陰兩縣界，築塘蓄水……溉田九千餘頃。」魯迅輯入《會稽郡故書雜集》時，在這條佚文下加校語說：「案宋時無會稽縣，此非孔記，或後人有所增改。」

《珠林》十八引《冥祥記》佚文：「晉濟陰丁承，字德愼，建安中，爲凝陰令。」魯迅輯錄時在「建安」下加校語云：「案晉紀元無建安，疑當作建元也。」又《珠林》六十三引《冥祥記》：「漢沙門竺曇，蓋秦郡人也。」魯迅在「漢」字下加校語云：「案當作晉，《珠林》誤題。」

以上三例，說明如果不知道會稽、山陰的建置沿革，不了解兩晉的紀元年號，不掌握漢代不可能出現姓「竺」的僧人等歷史知識，就不能發現和校正佚文中的謬誤。所以從事輯佚，必須有廣博的知識面，有深厚的專業基礎，同時還說明輯校結合，更有利於提高輯本的質量。

4. 作出合理編排

整理一部散佚的專著，輯錄佚文時注明出處，將有利於重新編排，探索原書的面貌。清代嘉慶年間徐松利用編輯《全唐文》的機會，從當時尚存的《永樂大典》中輯錄《宋會要》佚文，經過長期的鈎稽積累，所得約五、六百卷，徐氏未及排比而卒。其稿幾經轉手，最後爲吳興劉翰怡所得，他聘請劉富曾重加釐訂。劉富曾遂將全部徐氏原稿，痛加删幷，成初編二百九十一卷，續編七十五卷，自此之後，原稿面目不可復見，劉富曾又參考《宋志》、《通考》《玉海》等書，移改舊史實，增入新資料，錄成「清本」，爲四百六十卷。經過劉氏改編後的「清本」，總類子目，離合無端，分類隸事，頗多失檢，而且雜引他書，又不注明所本，大大降低了輯稿的文獻價値。故讀者寧取原稿而捨「清本」，原稿縱有誤文誤字，還是《大典》原文，尚可據以推定原來之次序，而「清本」則已改編得面目全非，難以據信。一九三一年北京圖書館從劉翰怡處購得原稿，嗣後乃由陳垣主持將原稿影印出版，名爲《宋會要輯稿》。中華書局一九五七年重印的，就是這個本子。從這裏可以看出，輯本的編排，應以恢復原書篇第、保存原書義例爲原則，這是衡量輯本質量的重要條件之一。

輯錄一派學說，一代遺文，或一種文體，如無原書編例可循的，就得重新編排，於是又產生一個編排是否得宜的問題。

逯欽立編纂的《先秦漢魏晉南北朝詩》，以取材廣博、考訂精審、資料豐贍、出處詳明爲學術界所見重，而編排得宜，更是一個突出的優點。它不取明人馮惟訥《詩紀》分爲前集、正集、外集、別集的體例，更不採取丁福保《全漢三國魏晉南北朝詩》各代都以帝王宗室爲首卷的編排方式，而是嚴格按照作者卒年的先後加以編排。這樣做，既改變了封建時代結集的傳統編次，又顯示了歷史上同期作家之間的聯繫和影響，便於比較不同的詩風和流派，爲研究文學發展史提供了方便。

在輯錄遺說方面，王先謙的《詩三家義集疏》是一部集大成的輯佚專著，它不僅以取材廣博、異文齊備見長，在材料編排方面也很有特色。其體例，每章先列《詩經》本文，後附說解，說解分「注」和「疏」兩個部分，凡三家遺文，皆列之於「注」，作者的徵引、考辨、論述，以及三家與《毛詩》的章句文字異同，俱詳「疏」中。體例嚴謹，條理井然，在重新編排的輯佚專著中，允推上選。

輯佚工作和文獻整理的其他工作一樣，也頗有高下優劣之分。見有佚文即抄，不過輾轉移錄之勞，只可謂之抄書，不能算作輯佚。綜觀上述諸例，評價輯佚書的標準，可考慮以下幾點：

第一，佚文是否網羅完備；第二，材料是否翔實可靠；第三，所輯之書，本身的價值如何，對學術研究有無裨益；第四，各本的異文，是否收錄齊全，並加考訂；第五，所輯材料是否標注出處，能夠覆核；第六，編排體例怎樣？如有原書輪廓可尋，是否盡可能做到恢復原來的篇第。

（原刊《語文導報》總一一四—一一九期，一九八六）

五、類書溯源

類書是滙集古籍中的詞語或其他資料，按照類別或韻部編排起來，以供檢索的書。

我國的類書起源很早，鴻篇巨制，代有興作，洵爲中華民族絢麗多彩的文化史上又一座資源豐富的寶山。無數失傳的文獻賴以保存，歷代的典章制度藉資查考。直到今天對於文獻整理、史料輯存以及語言史、文學史、古代科技史的研究工作還起着巨大的資料和工具作用。類書的製作雖然源遠流長，但對於類書的萌芽和創始，類書產生的原因以及正式見諸史志著錄等，今天仍然有必要進一步探討。本文擬就上述問題略加論列。

類書產生於六朝，今天的看法都已比較一致。《隋書·經籍志》錄有梁劉峻《類苑》一百二十卷和徐勉等的《華林遍略》六百二十卷以及北齊的《聖壽堂御覽》三百六十卷等；此後《南史》載有梁陶宏景的《學苑》一百卷、梁簡文帝的《法寶聯璧》三百卷，《梁書》也收載張纘的《鴻寶》一百卷。這些書實際上都是類書，但上述史志並未標出類書之名。直至《新唐書·藝文志》始著「類書」之目，是爲類書見諸史志之始。

《四庫全書總目提要》類書小序謂「類事之書，兼收四部，而非經、非史、非子、非集，四部之內乃無何類可歸……」這段話指出了類書編製的特殊性和內容的廣泛性。但《提要》將梁元帝《古今同姓名錄》標爲類書之首，把它視爲我國的第一部類書，則未免失檢。考其致誤之由，蓋沿用了宋代晁公武《郡齋讀書志》的誤說。其實宋代王應麟《玉海》卷五十四〈藝文承詔撰述〉篇就已指出「類事之書，起於《皇覽》，」按《三國志·魏志·楊俊傳》裴松之注引《魏略》云「王象受詔撰《皇覽》，使象領秘書監。象從延康元年始撰集，數歲成，藏於秘府，合四十餘部，部有數十篇，通合八百餘萬字。」可見其時代之早和規模之大。梁元帝蕭繹在位三年(五五二—五五四)，撰編《古今同姓名錄》在此期間。王象等奉魏文帝曹丕詔撰《皇覽》，曹丕在位七年(二二〇—二二六)。據此推算，是《皇覽》當較《古今同姓名錄》早三百餘年。

類書是工具書中的一個重要類型。工具書無論辭書、譜錄、年鑒、手册大致都可分為綜合性的和專科性的兩大類。專科性的工具書，產生都比較晚，類書自不例外。《古今同姓名錄》已屬專科類書，其較《皇覽》晚出，自亦符合類書發展的規律。《皇覽》開創了我國類書編纂的體例，故歷來學者視為「類書的權輿」。

歷史上任何一種體裁的著作產生，都必然有其歷史淵源和社會基礎，以及本身內在發展的因素。公元三世紀初年能產生《皇覽》這樣一種分列四十餘部八百餘萬字的大型類書，決不是偶然的。類書是採輯各種古籍中的有關資料，分類排比，以供查閱的工具書。這也是類書編製上有別於普通書籍的特點。漢代《史記》《漢書》的編撰，在史料整理上建立了分國分朝分類分人繫屬的方法。特別是司馬遷作《史記》，在編年、紀傳之外，又將有關學術制度的史料編為「八書」，實際上開啓了以類隸事的類書之體。劉向編校中秘書，整理舊籍，滙集有關歷史故事，編成《說苑》、《新序》，以類相從，也都具備類書的性質。在文學上，文字華麗辭藻堆砌的辭賦，成爲漢代文學上的一種重要體裁。如班固〈西都賦〉：「鳥則玄鶴白鷺、黃鵠鵁鶄、鶬鴰鴇鶂、鳧鷖鴻雁，朝發河海，夕宿江漢。」就一連用了十二個鳥旁字；張衡〈南都賦〉「其木則檉松楔㮘、槾柏杻橿，楓柙櫨櫪，帝女之桑，楈枒栟櫚，柍柘檍檀」。一連用了二十個木旁字。這樣重視辭藻，必然要求有廣博的見聞和豐富的資料以供臨文的需要。文風所向，促使文士必須求助於類書之體。六朝辭賦承漢賦之體而尤甚焉。逞博衒奇，標新立異，競相使用奇語難字僻典，形成一代文風。加上當時南方生產發展，經濟繁榮，佛經的傳播又大大豐富了辭彙的內容，這些客觀因素也都促使類書應運而生。《皇覽》以後，到南北朝時期，類書的編纂受到普遍重視，上至王公貴族，下至一般士大夫階層，競相編製，盛極一時，自六朝至清末，據歷代的藝文志、經籍志著錄，約有六百餘種，大部份已經散佚，今存者約有二百種左右。現有類書以唐代的《藝文類聚》、《北堂書鈔》、《初學記》，宋代的《太平御覽》、《册府元龜》、《玉海》等以及《白孔六帖》最爲著名。明代的《永樂大典》二萬二千九百多卷。清代的《古今圖書集成》一萬卷，可以說是類書中集大成的著作。

從上述這些主要類書的編纂情況看來。封建社會編纂類書的目的和類書產生、發展與盛的原因，約言之有下列數端。

一、把修纂類書作爲「文治」的一種手段

類書最初的編纂，只是滙輯資料以供帝王省覽之用，類書正式作爲工具書使用，那是唐代以後的事情。例如《皇覽》的編制目的，顧名思義就是爲帝王服務的。再如北齊祖珽等編纂的《修文殿御覽》，初名《玄洲苑御覽》，後又改名《聖壽堂御覽》，最後才改今名。又如《太平御覽》爲宋太平興國二年（公元九七六年）李昉等奉敕編撰的。初名《太平編類》，宋太宗趙光義誇示自已好學，命令每天進呈三卷「供乙夜之覽」，因此改名「太平御覽」。再如《册府元龜》一千卷。前五百卷紀君，後五百卷紀臣。册府爲藏書之府，元龜即大龜。古人認爲龜通神明，取名元龜有「龜鑒」之意。本來眞宗趙恒命王欽若、楊億修《歷代君臣事迹》作爲君臣學習借鑒的楷模。編成以後改稱《册府元龜》。此書所輯錄的材料都出於正經正史，及唐五代的詔令、奏議等文獻資料，不言而喻，當時正是作爲封建政治教本使用的。上述的《太平御覽》，徵引古籍多達一千餘種，這些書十之七八都已失傳，《册府元龜》所引的史書特別是五代史料如詔令奏議等亦大都散佚，《册府元龜》可以用來校史補史，並作爲研究隋唐史事者之參證。《太平御覽》、《册府元龜》所起的工具作用，乃是後來的事情，當時的編纂目的都未必如此。

唐宋以來，一些大型的官修類書，大都編成於改朝換代、政局初定之後。魯迅先生在〈

中國小說的歷史的變遷〉中談到宋代編纂《太平御覽》等書時曾指出：「因爲在宋初天下統一，國內太平，因招海內名士，厚其廩餼，使他們修書，當時成就了《文苑英華》、《太平御覽》、《太平廣記》，此在政府的目的，不過利用這事業收養名人，以圖減其對於政治上之反動而已，固未嘗有意於文藝」。封建統治者一方面標榜「偃武修文」點綴昇平，另一方面籠絡和控制封建士大夫，以緩和社會矛盾。但在客觀上卻給我們留下了這一宗文化遺產。

二、爲推行科擧制度服務

「科擧」爲分科擧拔人才之意。始於隋文帝楊堅，繼承於隋煬帝楊廣，唐宋更有所發展。明清制度尤密。唐代科擧科目雖多，士人所趨，惟「明經」「進士」兩科，進士科尤重詩賦，專尚文辭，故又稱爲「辭科」。宋代科擧制度，大體因襲唐制。明代開始以「八股文」試士，清代因之，更有所發展。科擧制度是封建統治者麻痺人民，緩和統治階級內部矛盾的重要手段。封建士子爲了追求功名利祿，趨之若鶩。由於科擧試士特重詩賦文辭，這就迫切需要編纂類書提供典故、辭藻，爲臨文之助。許多類書就是在這樣的功利思想指導下編纂的。宋王應麟《玉海》二百卷，從天文、律曆、地理到學校、兵捷、祥瑞共二十一門，下分子目，合二百四十餘類。《四庫全書總目提要》謂此書「卽爲詞科而設。故臚列條目，率巨典鴻章。其採錄故實，亦皆吉祥善事……而宋一代之掌故，率本諸實錄、國史、日曆，尤多後來史志所未詳。其貫串奧博，唐宋諸大類書未有能過之者」。在科舉所用的類書中，此書價值較大。又如劉達可編撰的《壁水群英待問會見選要》八十卷，專爲太學生應試答策之用。蘇易簡編《文選雙字類要》三卷，專選「文選」中的儷語警詞，分類纂輯，也是爲備科舉臨文之用。

根據《宋史·藝文志》記載，宋代類書計有三百〇七部，《宋史·藝文志補》又列二十四家，兩者總計有一萬三千多卷。雖包括前代傳下來的在內，但總的說來宋代類書已大大超過以前各個朝代。元代類書的編纂一落千丈。據史志統計：元代統治的九十七年中，共編類書二十一家，一千六百餘卷，不到宋代類書的十分之一。主要原因是元代蒙古統治者蔑視漢族文化，科舉制度消沉，因而類書的編纂上不及唐宋，下不逮明清。清代科舉制度盛極一時，「八股考試」以背誦儒家經典爲主，士子應試，多求助於類書。同時封建統治者爲了麻痺人民鬥志，把人們的注意力從現實生活引向故紙堆中，青春作賦，皓首窮經，使文人學士，尋章摘句，老死翰墨之間。爲此清代前期編纂了不少大型類書，如《淵鑒類函》、《分類字錦》、《子史精華》、《佩文韻府》、《古今圖書集成》等，以《佩文韻府》爲例，正集四百四十四卷，拾遺一百十二卷，爲張玉書等奉敕編纂，是一部以查找掌故、詞藻爲主的類書。全書收單字一萬，詞目六七十萬條。如把所列文句典故、引用例句全部計算在內合計不下一百四十萬條之多。全書以韻統字，每一個字之下又分字義、韻藻、對語、摘句四個部分。這是一部供人作文、寫詩、塡詞尋找詞藻、湊集對仗使用的類書，亦兼有辭書性質。對於科舉考試有很大的參考作用。一時流傳甚廣，其編纂的主要目的，正是爲科舉制度服務的。

三、滙集有關資料以供檢索

滙集資料，分類排比，以供檢索是類書的重要職能。在這一點上說，許多專科性類書的使用價值往往超過一般類書。如專收小說之《太平廣記》，專考事物起源和沿革的《事物紀源》、《格致鏡原》，專收姓氏之《元和姓纂》、《萬姓統譜》、《九史同姓名略》，專收植物之《全芳備祖》、《植物名實圖考》，專收古代生產技術資料之《天工開物》等等。都爲我們保存了大量的專門材料。如《全芳備祖》保存了古代農藝及花果草木方面的重要資料；《天工開物》收集了大量古代農業、工業生產技術方面的資料；《格致鏡原》滙輯古籍中有關博物、工藝的記載，這些專科類書，對我國古代科學技術史的研究有重大的參考價值。

《太平廣記》輯錄了魏晉以迄宋初的小說、異聞、筆記。繆荃孫曾據《廣記》校補《北夢瑣言》，並輯出佚文四卷，然猶有未盡者，可見其在輯佚和校勘方面的價值。魯迅先生編寫《中國小說史略》就曾利用過《太平御覽》和《太平廣記》裡的材料。我國有着悠久的文化歷史，由於類書保存了大量古代珍貴材料，因而在輯佚和校勘方面具有較高的使用價值。一些大型的類書這一作用尤爲顯著。魯迅先生校勘《稽康集》就用過《藝文類聚》和《太平御覽》的引文，明張溥編《漢魏六朝百三名家集》，清嚴可均輯《全上古秦漢三國六朝文》，主要從《藝文類聚》中發掘庫藏。清馬國翰的《玉函山房輯佚書》、黃奭的《漢學堂叢書》各輯佚書數百種，大都取材於類書。特別是清代修《四庫全書》時從《永樂大典》中輯出古代著作五百餘種，其中較著名的有《續資治通鑑長編》《舊五代史》等。輯佚和校勘並不是編纂類書時的原有目的和功用，但由於類書以輯存資料爲主這一重要特點，它流傳至今，客觀上起了這樣的作用。

綜上所述，類書萌芽於兩漢，產生於六朝，繁榮於唐宋，大備於明清。當然這不過是一個大致的脈絡。到了清代乾嘉以後，創編的類書極少，而以翻印舊有類書爲多。蓋清代後期，由於帝國主義的入侵，中國社會性質起了巨大的變化，資本主義思想也有了進一步的發展，封建統治者利用編纂類書宣揚封建教化進行思想統治的老辦法已不能適應新的社會形勢，同時隨着封建文化的沒落和近代科學的發展，類書這一陳舊的體制也已經遠遠跟不上新興科學文化發展的需要，代之而起的是百科詞典、專科詞典、手册、年鑒和百科全書等新型的工具書。不過，對於千百年來留下的類書這一宗文化遺產，今天我們還應本着「取其精華，棄其糟粕」的指導思想，研究鑒別，批判利用，從「類書」這一豐富的礦藏中，發掘資料，推陳出新，使之「爲極大地提高整個中華民族的科學文化水平而努力」這一宏偉目標，發揮應有的作用。

（原刊《圖書館學通訊》總第四期，一九八〇）

六、類書的文獻價值

我國的類書，起源很早。《爾雅》十九篇，有屬文者，有屬事者，有屬器物者，實爲最古的分類之書。司馬遷作《史記》，將有關學術制度的史料編爲「八書」，開啓了以類隸事的類書之體。自漢以還，辭賦盛行，逞博炫奇，辭藻堆砌，已可視爲類書的早期胚胎。迨魏黃初元年（公元二二〇年）王象、劉劭奉詔撰輯《皇覽》，採集經傳，以類相從，數歲成，藏於秘府。可惜這部規模宏大的類書到唐代末年便已散佚。南北朝時期編纂的類書已很多，但都沒有能流傳下來。類書最初的編纂目的，不過滙輯資料，供省覽之用；它之被作爲工具書使用，那是唐以後的事情。唐宋時期，經濟文化繁榮發展，同時科舉制度盛行，迫切需要類書提供典故和辭藻，因而對類書的製作和發展起了極大的促進作用。據歷朝藝文志、經籍志著錄，自六朝至清代，類書約有六百餘種，大部分已經散佚，今存者約有二百種左右。

類書所收的材料非常廣泛，包括歷史事實、名物制度、詩賦文章、成語典故、駢詞儷語，自然知識等各個方面。《四庫提要》類書小序說：「類事之書，兼收四部，而非經、非史、非子、非集，四部之內，乃無類可歸。」這段話正好說明類書內容的廣泛性，反映出類書的文獻價值是多方面的。尤其是一些大型類書，山包海滙，綜合各類，把它看作古代文獻的寶庫，並不誇張。從今天文史研究的角度看，類書的文獻價值是很高的，約言之，有以下一些方面。

一、查找各類資料

查考史實的專書很多，一般都從二十四史——即通常所謂「正史」中去查。正史分本紀、列傳、表志等部分，往往一事分見多處，材料分散。類書採輯各種史料，分類排比，資料集中，一索即得。例如有關歷代「蝗災」的文獻，《古今圖書集成·曆象彙編·庶徵典》一百七十九卷至一百八十二卷蝗災部就滙集了自周桓王開始到清康熙爲止三千年間各朝史書所載蝗災資料共計三百四十則，這些原始材料散見各書，現在全部輯錄在一起，查檢就十分便利。

唐宋時期的大型類書，保存遺文佚書尤多，資料極爲繁富。例如《册府元龜》，它本身就是一部史料性的類書，全書九百餘萬字，滙輯了自上古至唐、五代十七史的材料，所輯都是北宋以前的古本，唐、五代的史實尤爲詳備，特別是所引五代史料如詔令奏議等大都失傳，《册府》所引，多整篇整節照錄原文，文中俚語，亦未删節，從而保存了不少珍貴的歷史資料和語言資料。

王應麟是宋代的博學家，他編撰的《玉海》，保存了不少早已散佚的史料，所述宋代掌故，悉本諸實錄、國史、日曆，多爲後世史志所未詳。其書徵引經史子集，百家傳記，無不賅具。每遇異說，往往博採諸書加以考證，內容之精博，足與杜佑《通典》抗衡，爲研究宋史提供了不少很有價値的參考資料。周中孚《鄭堂讀書記》對《玉海》備極稱揚。

類書中收錄了很多典故，有的常較通常出處更爲完備，徵引類書，往往可以得到比較圓滿的解答。例如李清照〈多麗〉詞中提到的「似愁凝，漢皐解佩；似淚灑，紈扇題詩」，其中「漢皐解佩」一典，原爲鄭交甫遇仙女的故事。《太平御覽》卷八〇三引《列仙傳》：「鄭交甫將往楚，道至漢皐臺下，有二女，佩兩珠，大如荆雞卵，交甫與之言，曰：『欲子之佩』，二女解與之。既行返顧，二女不見，佩亦失矣。」按今本《列仙傳》卷上云：「江妃二女者，不知何所人也，出遊於江漢之湄，逢鄭交甫，見而悅之……遂手解佩與交甫。」這裏僅言「江漢之湄」而未提「漢皐臺下」，亦未言「明珠之佩」。因此援用《御覽》引文來解釋「漢皐解佩」的典故，才更加符合詞義。

今天，我們正在進行各種類型的詞書編寫工作，從類書中查找各類材料，亦大有裨於實用。類書中保存了不少遺文佚詩，可作語文詞典立目的材料，如《初學記》卷十八引應瑗〈雜詩〉：「箪瓢恒自在，無用相呵喝。」《永樂大典·小孫屠戲文》：「你如今與我收拾行李，和我一同去還心願，也免在家閒爭合口。」上文的「呵喝」和「合口」都可據以立目。「呵喝」是大聲喝止，「合口」猶言口角、爭吵。在詞書的釋義方面，有選擇地徵引類書材料，往往可以補充義項。如「修養」一詞，新近出版的一些詞典都把它釋爲道德品質或知識技能方面的素養，有的釋爲指儒家以內省方式培養個人品德的方法，經查《太平御覽》卷六七三「道部·仙經下」引《太微黃書經》：「方法者，衆聖著述丹藥秘要，神草靈芝，柔金水玉，修養之道也。」因此，「修養」也是道教稱煉丹服藥養生求仙的方法。這就豐富了詞彙的內容。再如「面首」一詞，一般詞書皆引《資治通鑑・宋紀》明帝爲山陰公主置「面首左右三十人」的記載，釋爲男寵、男妾。查《太平御覽》卷三六五「人事部・面」引蔡邕《女戒》：「夫心猶面首也，一旦不修飾則塵垢穢之。」參看魯迅《古小說鉤沉》引《集異記》亦云：「日暮忽見一人着鳥褲褶來，取火照之，面首無七孔，面莽儻然。」故知「面首」本義應爲面容，容貌。再如「封」字，《太平御覽》卷九四七引《方言》：「楚郢以南，蟻土謂之封」，《廣雅・釋詁三》：「封，埸也」王念孫疏證：「天將雨，則蟻聚土爲封以御濕。」而今本《方言》「封」作「垤」。可見《御覽》引文給我們提供了很好的釋義資料，爲「封」字增補了「積土成堆」這樣的一個義項。又如「封壤」一詞，《太平御覽》卷九四七引《符子》：「群蟻曰：『彼（指東海之鰲）之冠山，何異我之戴粒，逍遙封壤之巔，伏乎窟穴也。』根據《御覽》引錄的這段文字，不但可以概括出「封壤」有「土堆」的意思，增加一個義項，另外又可以引作「冠山戴粒」這一成語的語源。（按：《辭源》修訂本「冖」部已另據《藝文類聚》卷九七引《符子》立目，文字與上述《御覽》引文略同。）在詞書引例方面，利用類書的分類目類或大型類書所附的詞目索引去查找材料，常會大有所得。如「吳牛喘月」一般詞書常以《世說新語・言語》：「臣猶吳牛，見月而喘」一節爲最早例證，經查《太平御覽》卷四「天部」引《風俗通》：有「吳牛望見月則喘……」的記載，這樣例證就可以提前二百多年。從上述幾點看來，從類書中查找材料，爲我們編寫新詞書服務，無論選詞立目，解釋詞義，徵引書例等方面都將大有可爲。此外，還可以利用類書重核引文，使它更加切合原文原意，這樣，也可以進一步發揮類書的功用，使它爲今天的文史研究工作服務。

二、查考事物源流

研究歷史，特別是文化史、科學技術史，常常需要溯源窮本，考證有關事物的起源、發展和變革的過程。這除了悉心考察各種實物、文物以外，還要查考有關文獻記載。有些關於事物起源的資料，散見於各種古籍之中，把這些資料分門別類地集中起來，查檢就比較方便。另外在一些綜合性的大型類書中也常常輯錄了考證事物源流的專門章節，這些都頗有助於檢索。例如我國古代科學家張衡創造渾天儀和地動儀的原著，早已亡佚，但在《太平御覽》卷二天部「渾儀」目內就有一段記載，爲《後漢書・張衡傳》所無，是非常珍貴的原始資料。又如《初學記》卷二十七〈絹第九〉引《晉故事》：「凡民丁課田，夫五十畝，收租四斛。絹三匹，綿三斤……」這一段記載，是研究西晉田賦制度的重要史料，在《晉書・食貨志》裡卻沒有記載，而《晉故事》原書又早已失傳，因而更值得珍視，所以常爲歷史研究工作者所稱引。「寒食節」的掌故和來歷，民間流傳已久，一般都認爲介子推的故事。而《初學記・歲時部下》「寒食」條，不但引錄了《鄴中記》「寒食斷火起於〔介〕子推」的說法，又進一步論證了「禁火蓋周之舊制。」指出：據《左傳》及《史記》並無介子推被焚之事。按《周書》司烜氏仲春以木鐸循火禁於國中。注云：「爲季春將出火也。今寒食準節氣是仲春之末，清明是三月之初，然則禁火蓋周之舊制。」這就比一般詞書徵引的材料要豐富，翔實得多了。

要弄清一些典故性的詞語，查一般詞書往往無法得到解決。例如「封羊」和「封鵝」兩詞，在一般詞書裏就無法查到。《太平御覽》卷九〇二引《涼州異物志》：「封羊其背如駝」，可知封羊是一種大羊，那麼，「封鵝」是不是動物呢？《玉海·食貨·農書》：「宋朝天僖四年……又出繪龍封鵝祈禱秘法，令長吏遵行，劭農之道備矣。」並指出其法爲：「擇靈祠爲壇，取白鵝割項盛血，並鵝糞之。次曰，俱於壇前瘞之。」另外，在《淵鑒類函·鳥部·鵝》中也有類似記載，可見「封鵝」指的是宋代用鵝祈求雨雪之法，而非專指其鵝。

宋代高承編撰的《事物紀原》是流傳下來比較早的一部考證事物起源和沿革的專門類書。自博奕嬉戲之微，魚蟲飛走之類，一一考其來源，特別是書中對於一些生活器物、食品等等選錄較多，諸如雨傘、熨斗、胡床、紙、筆、爆竹、饅頭、湯餅、葡萄、大蒜、胡麻之類，均加收錄，考其來源。此外《事物紀原》中還有不少資料可提供研究科技史的參考。如卷八「小車」條云：「蜀相諸葛亮之出征，始造木牛流馬以運餉，蓋巴蜀道阻，便於登陟故耳，木牛即今小車之有前轅者，流馬卽今獨推者也，而民間謂之江州車子。按後漢郡國志，巴郡有江州縣，是時劉備全有巴蜀之地，疑亮之創，始作之於江州縣，當時云然，故後人以爲名也。」今按《三國志·蜀志·諸葛亮傳》「以木牛運」；又云「亮性長於巧思，損益連弩，木牛流馬，皆出其意。」但至今我們還不能確考「木牛流馬」的圖形，《事物紀原》所云，可備一說。

宋代官制冗雜，《宋史》所載，不過僅存其名，當時詩文所稱，後世多不知其爲何官，宋謝維新《古今合璧事類備要》，其後集對宋代官制多有記載，闡述詳明，所採宋以前古籍，今多散佚，尤足爲考證之資助。除了官制以外，不少類書中列有「制度」的專章。例如「同文館」一詞，按《清朝續文獻通考·學校十四》記載爲清代學館名，而宋王應麟《小學紺珠·九·制度》記載：「同文館」爲接待青唐、高麗來使之所，是宋代設置的掌接待外國來使的機構。根據《小學紺珠》所載，就使「同文館」一詞的含義，更加確切和完備。此外，清魏崧編《壹是紀始》考證「書院始於唐」，「國子監始於隋」，引證都根據文獻記載。陳元龍《格致鏡原》考證飲食、布帛、文具、武備、日常器物以及花、木、鳥、獸、昆蟲等等，這些記載事物的資料，大多錄自原書，所採經、史、雜記、野乘都一一注明出處，其中記雕版印刷的起源和發展，對了解我國印刷的歷史，就很有價值。另外還有一些圖譜性的類書，從圖譜和文字兩方面來闡述事物的源流，如明王圻《三才圖會》，明章潢《圖書編》都屬於這一類。《三才圖會》滙輯古書圖譜，包括古代文物和人物圖像，加上文字說明，其中有些根據流俗相傳的形狀繪製的則不盡可信。全書分天文、地理、人物、時令、宮室、器用、身體、衣服等十四門，其「器用」門就繪製了古代刀槍劍戟、火箭、飛炬、連弩、鐵鞭、留客住等各種兵器的形狀，羅列的品種較多。總的來說，此書收羅廣博，但總嫌蕪雜不精。《圖書編》

也是滙輯諸書圖譜的類書，它輯錄古書中有圖可考的資料，加以說明，分類編排，頗便檢索，其地理、人道二類有很多反映明代政治社會狀況的資料，可補史志所未備。此書在材料考核方面超過《三才圖會》。圖譜對編寫工具書作用很大，詞書、百科全書都需要配圖，它既可以補充文字敍述的不足，又可以增加讀者閱覽的興趣。現在英美各國工具書都非常重視配圖，用圖來引導青年人看書。國外很多工具書都已採用彩圖，向精益求精的方向在發展。日本編的圖解百科全書，圖的比例占得很大。我國的《三才圖會》直到目前爲止，各國工具書未見採用，唯日本編的百科全書和詞書卻採用了，可見他們對圖譜資料的重視。我國古代流傳下來的圖譜資料豐富多彩，但我們自己發掘利用還很不夠。類書中保存的圖譜是一個重要方面，今後應該引起足夠的重視，從中發掘一些有用的資料，爲編寫工具書創造更加有利的條件。

三、輯錄古書佚文

我國有着悠久的文化歷史，但古代典籍，散佚很多。元代馬端臨在《文獻通考·經籍考》序中說：「漢、隋、唐、宋之史，俱有藝文志。然《漢志》所載之書，以《隋志》考之，十已亡其六七；以《宋志》考之隋、唐，亦復如是。」書籍的亡佚率這樣大，考其原因：歷史上多次改朝換代，社會動亂，往往造成書籍的散佚，牛弘、胡應麟所稱古書經歷「五厄」、「十厄」，是由於歷代的「兵燹」、「禍亂」，但這些只不過是一方面的因素，我們還可以從傳播書籍的方法和工具落後等方面找到更加直接的內在原因。在雕版印刷發明以前，書籍傳播，都靠手寫，客觀上受到很大的限制，雕版印刷發明以後，卷帙浩繁的書籍因爲無力開雕以致散亡的也很多。輯錄佚書佚文的工作，宋代學者已漸開其端緒，明代輯佚的範圍還比較局限，清代樸學盛行，輯佚工作取得顯著成果。乾隆三十八年（公元一七七三年）安徽學政朱筠向清高宗奏請開四庫館，建議從《永樂大典》中輯錄古書，以備著錄。清高宗採納了朱筠的建議，着手編纂《四庫全書》，先後從《永樂大典》中輯出並錄入《四庫全書》及其存目中的佚書共五百十五種，還有雖已輯出，尚未及列入四庫者，如《宋元兩鎭志》、《奉天錄》、《九國志》等，也都是比較重要的典籍。今《四庫總目》中標明「永樂大典本」的書，都是這次重新輯出的佚書。這說明《四庫全書》一開始修纂就和輯佚工作緊密結合在一起。這次輯出的佚書，如李燾《續資治通鑒長編》五百二十卷、薛居正《舊五代史》一百五十卷、郝經《續後漢書》九十卷，都爲歷史研究工作提供了大量的富有價值的文獻資料。從《大典》中輯出的二十四卷《東觀漢記》有不少材料可以補正范曄的《後漢書》。此後，徐松輯《宋會要》其中大部份材料皆輯自《永樂大典》，而這些史料十之七八是《宋史》失載的，由此亦可見其文獻價值之高。

《永樂大典》正本毀於明亡之際，副本在八國聯軍侵入北京時大部份遭到焚毀和劫走，造成了研究中國文學藝術、歷史、自然科學等各方面資料供應上的無可補償的損失。一九四九年後，將從各方面徵集到的七百三十卷《大典》殘本進行影印。這些殘本中還保存了不少珍貴資料。如宋人吳欑的《種藝必用》和張福的《種藝必用補遺》，這是兩部相當重要的有關農業和園藝的專門著作。元人薛景石的《梓人遺制》是我國古代有關建築方面的專業用書，並附有詳細的圖和說明，可惜現在僅存的只有半卷了。《大典》收錄了三十多種「南戲」，今天我們從殘本中還可以看到〈小孫屠〉、〈張協狀元〉、〈宦門子弟錯立身〉等三種不同時期的「南戲」戲文，對於研究戲曲史很有參考價值。

輯錄佚書佚文，除《永樂大典》以外，唐宋類書由於成書年代早，保存隋唐以來遺文秘典多，更爲輯佚家所重視，馬國翰《玉函山房輯佚書》輯錄佚書五百八十餘種，王謨《漢魏遺書抄》輯錄佚書一百餘種，黃奭《漢學堂叢書》輯錄佚書二百五十餘種，洋洋巨編，大都取材於上述唐、宋類書。

《藝文類聚》引書一千四百三十一種，皆隋以前的遺文秘籍，至今十不存一。以往類書側重記事，有時摘引詩文，而《藝文類聚》則往往整篇引用詩文，很像一部以類相從的文集。明張溥輯《漢魏六朝百三名家集》，清嚴可均輯《全上古三代秦漢三國六朝文》以及清代其他輯佚家都曾從《藝文類聚》中發掘礦藏。魯迅先生輯《古小說鈎沉》和《會稽郡故書集》也都使用過《藝文類聚》。

稍後的《初學記》是唐玄宗時官修的類書，也保存了不少失傳古書的片斷，如唐初魏王李泰等修撰的《括地志》有五百多卷，是一部重要的古代地理專著，原書已佚。其「序略」僅見於《初學記・卷八・總序州郡第一》。從這些片斷記載中還可窺見唐代貞觀間政區的劃分和州縣的數目。清人孫星衍輯《括地志》八卷，就是取材於《初學記》的。

又如《太平御覽》實際引書達二千八百種，今存者不過十之二三。清阮元序鮑刻《御覽》云：「存《御覽》一書，即存秦漢以來佚書千餘種矣」。《御覽》有一個重要特點，就是引書比較完整，多整篇整段的文字，而且注明出處，比起那些割裂文義，摘錄詞句的類書要有用得多。所以清代以來的校勘家、輯佚家非常重視《御覽》，把它視爲「輯佚的寶山」，把它譽爲「類書之冠」，正是從它的文獻價值着眼的。再如專門論述農業技術的《范子計然》《氾勝之書》比著名的古農書《齊民要術》還要早好幾百年，在研究古代農業發展史上很有參考價值。這兩種書都依靠《御覽》的引用，今天我們才有可能看到原書的概貌。又如我國最早的醫藥學專著《神農本草經》早已亡佚，也都由於《御覽》的徵引，才得以重新輯出原書。

《太平廣記》是一部專收魏、晉以迄宋初之小說、異聞、筆記的類書。四庫存目歸入小說家類。《廣記》引書五百二十六種，所引之書，存佚各占其半。《廣記》引書，卷帙少者往往全部錄入，即未全採，材料亦往往多於今本。清代繆荃孫校補《北夢瑣言》，就曾使用過《太平廣記》，並輯出佚文四卷。魯迅先生編寫《中國小說史略》曾利用過《太平御覽》和《太平廣記》裏的材料。《太平廣記》保存了不少當時的口語詞彙，對於研究語言學，詞彙學和民間文學都很有參考價值。

《錦繡萬花谷》亦宋代類書，徵引古籍頗多，且一一俱注出處，頗有資於考證。《四庫提要》云：「所錄大抵瑣屑叢碎，……特其中久經散佚之書，如《職林》《郡閣雅談》《雅言系述》《雲林異景記》之類，頗賴此以存崖略。又每類後用《藝文類聚》例附錄詩篇，亦頗多逸章剩什，爲他本所不載。」對保存遺文佚事來說，這也是值得一提的。

一九五九年中華書局以丁福保的《漢魏六朝名家集》中的《魏武帝集》爲底本，整理編印的《曹操集》，其中文集三卷，輯錄了《北堂書鈔》《藝文類聚》《初學記》《太平御覽》中曹操的著述就有九十三篇（節）。宋代著名女詞人李清照，爲詞家一大宗，惜其著作多散佚不傳。清《四庫全書》所收，乃據毛晉《詩詞雜俎》本《漱玉詞》，祇收詞十七首。而《全芳備祖》各門卻錄有李清照詞六首，《全芳備祖》爲記載植物的專門類書，其所錄詩詞，收入何門，卽咏何物，如李清照〈醉花陰〉詞有「簾捲西風，人比黃花瘦」之句，則收入前集卷十二菊花門；〈如夢令〉詞有「試問捲簾人，卻道海棠依舊」之句，則收入前集卷七海棠門。在前人輯佚的基礎上，近代繼續輯得的李清照詞祇有二首、詩一首，也都是取之於類書。趙萬里先生從《全芳備祖》發現〈南歌子〉詞一首，從《截江網》中發現〈長壽樂〉詞一首。詩則有黃盛璋先生從《永樂大典》卷八八九詩字韻下發現的〈偶成〉。類書中收載了一些文學作品，在原集散佚以後，它給文學史的研究工作保存了極爲珍貴的文獻資料。當然我們在輯錄時還須愼重鑒別，如《永樂大典・梅字韻》有李清照梅詩五首，據專家考證都是《梅苑》中無名氏的作品，並非易安所作，不可魚目混珠。庾信的〈愁賦〉，是辭賦中的名篇，歷代詩詞常常作爲典故徵引，但原文卻很難看到。姜夔〈齊天樂〉：「庾郎先自吟〈愁賦〉，淒淒更聞私語。」胡雲翼先生的《宋詞選》注云：「庾信的〈愁賦〉今不傳。這裏愁賦一詞可能是指他那些〈哀江南賦〉〈傷心賦〉〈枯樹賦〉一類哀愁悽愴的作品」，這條注文很値得商榷。按：倪璠注《庾開府全集》和嚴可均輯《全後周文》的確都沒有收這篇〈愁賦〉，殊不知宋葉廷珪《海錄碎事》卷九下卻有之。所以，重視類書，勤於翻檢，有些遺文佚篇纔不致失之眉睫。

四、校勘古書文字

古代書籍在雕版印刷術盛行以前，都依靠手寫，因此很容易發生錯誤，以訛傳訛。諸如字體缺謬，語句脫落，乃至錯簡，改竄，衍文增句，無所不有。如果不能找到較好的本子進行校訂，就很難考見古書原來的面貌。而類書所收的材料，是從當時尚存的書籍中輯錄出來的，因而往往保存着失傳古書的原貌。因此校勘古書的人，常利用類書校對異文，改定今本。在用手工抄寫書籍的年代裏，少一次傳抄，必然要少一些訛誤；在雕版印刷的年代裏，少經一次翻刻，也可以避免一些錯簡和謬誤。所以校勘工作應以古本爲貴，過去一些著名的校勘學家重視唐宋類書，原因也就在這裏。《四庫全書總目提要》中曾談到《藝文類聚》保存了不少隋以前的遺文秘籍，宋周必大校《文苑英華》多引是集，可見類書早在宋代就已作爲校勘之用了。《二十四史》中《魏書》自宋南渡以後卽有缺頁，清嚴可均輯《全後魏文》，其中第三十八卷劉芳上書言樂事，引《魏書·樂志》僅一行，即注「原有闕頁」。清代著名的校勘學家盧文弨亦認爲此頁已「無從考補」，其撰《群書拾補》時僅從《通典》補得十六字。而《冊府元龜》五百六十七卷卻載有此頁全文，一字無損，得補《魏書》之闕。宋代編纂《冊府元龜》之時，唐五代各朝《實錄》多數尚存，故今《冊府》所載，每與舊史不盡相同。清道光間劉文淇等校勘《舊唐書》曾借助《冊府》，成績卓著，由此觀之，其文獻價值自不待言。高郵王念孫、引之父子用古本和通行本書籍對校，從語音、詞義和字形等方面考其異同，從而確定某爲訛字，某是衍文，某屬錯簡，在校勘學、考據學方面作出了很大的貢獻，其中很多都借助於古本類書。魯迅先生校勘《稽康集》，在序言中說：「復取《三國志注》……及陳禹謨刻本《北堂書鈔》，胡纘宗刻本《藝文類聚》，錫山安國刻本《初學記》，鮑崇城刻本《太平御覽》等所引，著其異同。」也正是因爲這些類書編纂時間較早，保存了一些散佚的文獻，所以使用價值較高。

上文提到的中華書局編印的《曹操集》中〈孫子序〉一文，原輯於《岱南閣叢書》本《孫子十家注》，其中「孫子者，齊人也，名武，爲吳王闔閭作《兵法》一十三篇，試之婦人，卒以爲將，西破強楚入郢，北威齊、晉。後百歲餘有孫臏，是武之後也」一段，爲《岱南閣叢書》本所無，亦據《御覽》輯補。〈請追增郭嘉封邑表〉輯自《藝文類聚》五十一。按《魏志·郭嘉傳》亦載此表，惟敍述郭嘉事迹的「東擒呂布，西取眭固；斬袁譚之首，平朔土之衆，逾越險塞，蕩定烏丸；震威遼東，以梟袁尚」一段，爲《魏志·郭嘉傳》所無。《

藝文類聚》引文，可爲校補。

利用類書校勘古籍，當以宋代以前者爲宜，明人所編類書，引文頗多臆改，難以爲據，當然就是使用唐宋類書也不能一味盲從，卽如《太平御覽》所引，大多抄自前代類書如北齊的《修文殿御覽》，唐代的《藝文類聚》、《文思博要》等，並非完全出於原本，因此其中也頗有沿訛襲誤之處，引用亦須審愼。

我們在充分肯定類書功用的同時，也還要看到它的不足之處，《四庫提要》類書小序云：「此體一興，而操觚者易於檢尋，注書者利於剽竊，輾轉稗販，實學頗荒。」當時由於類書的盛行，餖飣捃拾之風大起，淺學之徒，便於剽竊，陳辭浮藻，敷衍成篇，以爲作文治學之捷徑。《提要》所謂「實學頗荒」者指此。今天我們不再依靠類書來撰寫詩賦文章，此弊似已不復存在。然而對於類書本身編纂上的疏失、訛誤，以及輾轉相抄，以訛傳訛等現象則仍應引起足夠的注意。崔述《考信錄提要》卷上云：「凡人多所見則少所誤，少所見則多所誤，……故好德不如好色，許允事也，而近世類書以爲許渾。韓魏公在揚州與客賞金帶圍，王珪與陳旭、王安石也，而近世類書以爲王曾。晉、宋之事，且猶不免傳訛，況乎三代以上固當有十倍於此者」。類書還有一種弊病是隨意摘抄，連篇累牘而不注明出處，使人無從覆核。《四庫提要》批評明代沈際飛的《類書纂要》：「是編於類書之內，稗販而成，訛舛相仍皆不著出典，流俗沿用，頗誤後來」確是切中其弊的。還有一些類書，雖已標注出處，但並不可靠，姑以《佩文韻府》爲例：如「尋問」一詞，見《北史・儒林・孫靈暉傳》，而《佩文韻府》誤作《北齊書・儒林・孫靈暉傳》，《北齊書》雖有是篇，但敍述文字不同，且並未出現「尋問」一詞。另外，我們在使用中發現《佩文韻府》引用材料標明出自《唐書》的，經核對，往往是《新唐書》而不是《舊唐書》（如日本《大漢和辭典》、臺灣《中文大辭典》中的「射生將」條）；標明出自《齊書》的，往往是《南齊書》而不是《北齊書》（如《大漢和辭典》《中文大辭典》中的「府召」條），至於其他引文中的誤刪、遺漏、錯簡、破句乃至錯別字那就更加舉不勝舉了。我國在一九四九年前編寫的某些辭書和近代日本的《大漢和辭典》臺灣的《中文大辭典》中有些辭條，由於照抄《佩文韻府》《淵鑒類函》等類書的材料，不作鑒別，不加核對，以訛傳訛，以非爲是，大大降低了辭書的質量，影響讀者的使用，這是不得不鄭重指出引爲鑒戒的。針對類書的上述缺點，我們在使用的時候，一定要選擇好的本子，引用材料，必須按其所注出處，進行覆核，然後才能徵引。唐宋類書保存的佚文秘典今已無從覆按者，亦須標明引自何種類書，俾知徵引有自，以備參稽。

（原刊《文獻》第五輯，一九八〇）

七、論四庫全書館輯錄「大典本」的功過得失

——兼論建立「大典學」與整理《大典》影印本

明代編《永樂大典》（以下簡稱《大典》），清代編《四庫全書》（以下簡稱《四庫》），是我國文化史上兩件有深遠影響的大事，是非功過，前人早有定評。清編《四庫》時，從《大典》中輯書五百十六種❶，這是既關係到《大典》，又關係到《四庫》的又一件大事。《大典》歷經刼難，存者幾稀，今之影印本七百九十五卷❷，不過原書百分之四左右，而《四庫》所輯之「大典本」，除「存目」的以外，抄錄和刋刻的三百八十八種卻有五千卷之多。這些輯本，雖然已改變了《大典》原書的編排方式，卻保存着《大典》所收這批典籍的基本內容。從文字份量看，每卷字數多寡，或與《大典》不盡相同，然而大致說來，輯本保存着《大典》原書五分之一的內容，殆無疑義。這本是一個顯而易見的事實，但是若不揭明，卻很少引起人們的注視。是以研究這些輯本的優劣得失，對於繼續窺探《大典》原書的概貌，探討《四庫》編書、輯佚的特點和影響，以及對於現存《大典》影印本的整理和利用，或將不無裨益，故略加論議如下：

一、輯本對學術的貢獻

《大典》的編輯宗旨，是取「書契以來經、史、子、集百家之書，致於天文、地志、陰陽、醫卜、僧道、技藝之言，備輯於一書❸」。囊括百家，統馭萬類，蘊蓄之富，世罕其匹。乾隆三十七年（一七七二）開「四庫全書館」，其時《大典》正本雖已毀於明、清易代之際，而移貯於翰林院的「嘉隆副本」十九尚存，如果當時能有雕版刋印的決心，或者能定出正確的輯佚標準，將可輯之書，全部輯出，則此舉對於中國傳統文化，必將產生更加深遠的影響。往者已矣，不具論矣！茲就《四庫》輯本論之❹，它對於學術文化發展的作用，至少仍有以下四個方面：

(一) 保存大量文獻

《四庫》所輯「大典本」，是從當時的需要輯錄的，雖然四部俱備，在今天看來，應以宋代史書、宋元文集最具特色。此外，經部中的五經輯本，史部中的政書、目錄書、人物傳記，子部中的類書、醫書、天文曆算，集部中的總集、詩文評亦頗多稀見之書。

其在經部，以「五經」爲主，《易經》所佔份量尤多❺，重點在發明易漢學，搜集漢人佚說佚注。輯本中唐代史徵《周易口訣義》與李鼎祚《周易集解》相類，多採漢人易說，雖與李書互有詳略，然亦頗多李書未載之文。宋鄭剛中《周易窺餘》，大旨亦兼採漢學而增以新義；宋丁易東《周易象義》，大抵以李鼎祚、朱震二家爲宗，闡明漢學。此外，重要著作尙多，例繁不舉。宋代夏僎《夏氏尙書詳解》，立說頗爲詳明，洪武中一度曾與《蔡傳》並以取士。宋代黃倫《尙書精義》，薈粹諸家，不加論斷，異同矛盾，亦兩存之。徵引賅博，前人書說之散佚者，實賴以得存崖略。詩類輯本不多，宋代戴溪《續呂氏家塾讀詩記》雖以續讀詩記爲名，持論與呂氏稍異，且不甚墨守小序，大抵涵詠詩文，以求詩人之志。其他如袁燮《絜齋毛詩經筵講義》、林岊《毛詩講義》，皆各有特點，值得一提。元毛應龍《周官集傳》多採宋以來諸儒散佚之說，引據頗博，訓釋詳明。宋自神宗熙寧（一〇六八—一〇七七）廢罷《儀禮》，自後學者不復講論。宋李如圭《儀禮集釋》，纂輯舊訓，以成是書，頗受後人重視。春秋類中當以葉夢得《春秋讞》最爲難得。其說主於信經不信傳，排斥公、穀兩家，於左氏事迹亦多匡正，且詞辨縱橫，瀾翻不竭，以善於議論見長。至於晉代杜預的《春秋釋例》原本久佚，此次從《大典》錄出，一代名著，又得流布人間。劉敞《春秋傳說例》，雖篇幅較短，而文字簡奧，內容精核。凡此皆經部輯本之佼佼者。

史部輯本最少而最見精醇，於學術研究影響亦最大。薛居正《舊五代史》一百五十卷，多採「五代」實錄，兼及「十國」史事，淸人趙翼在《廿二史札記》中稱讚《薛史》「亦有直筆」，說明它能夠公正地敍述史實。與歐陽修《新五代史》相較，歐史主褒貶，薛史重事迹，《四庫簡明目錄》說「譬之三傳，薛近左氏，而歐近公、穀」，意謂可以並存。蓋自金代泰和（一二〇一—一二〇八）年間，立《新五代史》於學官，薛史逐漸散佚，此次從《大典》輯出，方又列於「正史」。李燾《續資治通鑑長編》五百二十卷，記載了北宋一祖八宗的事迹，每條之下，皆附考異，參校諸說，考定史事之眞妄，歷來公認爲考證北宋遺聞之淵海。李心傳《建炎以來繫年要錄》二百卷，述高宗一朝史事，與李燾長編相續。熊克《中興小紀》所載南渡事迹，起建炎丁未（一一二七），迄紹興壬午（一一六二），亦高宗一朝之史。未著撰人的《兩朝綱目備要》，記宋光宗紹熙元年（一一九〇），迄寧宗嘉定十七年（一二二四）史實，敍次簡明，持論平允，久佚復出，亦足珍視。史部政書類中宋人李攸的《宋朝事實》，輯北宋一代典制，分門編錄，亦「會要」之類，多《宋史》所未詳。嘉慶時徐松又從《大典》輯出《宋會要》等史書，是故《大典》輯本中的宋代史籍，當爲各類輯本最有價値的一類。現存宋代目錄學名著有《郡齋讀書記》《崇文總目》《直齋書錄解題》三種，後兩種都是這次從《大典》中輯出或據以校補的。

子部書門目繁多，難以備述，輯本中的《九章算術》《海島算經》《五曹算經》《夏侯陽算經》《五經算術》皆戴震所輯，《孫子算經》由戴氏校正，《周髀算經》亦由戴氏校補，這一門類收算書達十種之多，是研究我國科技史的重要史料。輯本中收類書二十種，其中存目書十五種。輯錄出的《古今同姓名錄》《元和姓纂》《實賓錄》《古今姓氏書辨證》《帝王經世圖譜》等五種，都是時代較早、影響較大的類書。醫家雖《大典》收錄較多而輯本寥家，然宋人王袞的《博濟方》、蘇軾、沈括的《蘇沈良方》、王貺的《全生指迷方》、嚴用和的《濟生方》等，其中雖有一二實未全佚，然傳本亦稀。這些名著，至今醫學院校講授「中醫方劑學」「中國醫學史」還常常提及。

集部輯錄最多，達一百七十六種。其中宋人文集一百二十八種，金人文集一種，元人文集二十九種，明人文集六種，總集三種，詩文評九種。宋人文集中名家輩出，例不勝擧。宋祁《宋景文集》博麗典雅，論者謂能直追唐人之格律。李廌《濟南集》，文章才氣縱橫，蘇軾稱其筆墨瀾翻，有飛砂走石之妙，曾被列爲「蘇門六君子」之一。馬廷鸞《碧梧玩芳集》，詩文雅贍秀潤，駢體尤爲工致。金代文集傳世已無多，從《大典》輯出王寂《拙軒集》，詩文皆清新疏暢，風格獨具，彌足稱述。元人文集中，姚燧、仇遠、張養浩等名家的散佚之集，也因《大典》收錄，《四庫》輯出，方得流傳下來。所輯總集中陳起的《江湖後集》，詩文評中張戒的《歲寒堂詩話》，周密的《浩然齋雅談》，對後世都有相當影響。

(二) 類書還原專著

類書是中國古籍特有的體裁之一。一般類書，多具有以下一些特點：一是裒集群書，抄錄大量古代文獻。二是「述而不作」，悉依原文照錄，不加改動。不若其他古注、義疏之引用往往約簡其詞，雖內容相同而用語已變。三是或分類編排，或按韻編排，條理井然，有規律可尋。四是注明資料來源、出處，便於核對原文，查檢使用。因爲類書具備這些特點，所以當某些古書亡佚以後，往往能從類書中輯出遺文，重新恢復原書梗概。《大典》是我國歷史上最大的類書，除了上述共有的特點以外，還有它本身獨有的一些特點，這是任何一部類書都無法與之比擬的。第一，《大典》的規模特別大，總凡二萬二千九百三十七卷（內含凡例、目錄六十卷）、裝訂爲一萬一千零九十五册（內含凡例、目錄六十册），總共三億七千餘萬字，收錄古籍達七、八千種之多，元以前中秘藏書，皆在網羅之列，可謂集歷代古書之大成。第二，《大典》引書，一字不改，整篇整段抄錄，有時甚至把整本的書，全部移錄在某一韻字之下，很少考慮到條目之間文字多少的比例平衡。從類書本身說，體例不嚴，無疑是一缺點，但因此保存下大量比較完整的原始材料，對於從中輯錄佚文，卻提供了極爲有利的條件。第三，《大典》雖爲類書，其輯錄資料的方式，多少又兼有叢書性質，正如某些專收詞藻的類書，亦兼有詞書性質一樣，但它們的基本歸屬，當然還是類書。《大典》的編纂，既不是按事物門類分工，也不是按韻目分工，而是按照經、史、子、集、道、釋、醫、卜各個學術門類及各個大類之下再分的小類，委任專人職掌。今可考知的，如王彥文爲《詩經》副總裁❻，高得暘爲《三禮》副總裁❼，蔣用文、趙友同爲「醫經方」副總裁❽。這說明《大典》的編輯，盡量保持學術門類的系統性和完整性，這就更加便於輯錄還原。梁啓超在《中國歷史研究法》中曾設專章論述「類書保存遺佚之功」，甚至倡言保存資料之多寡，爲評價類書價值的準則。其言曰：「古書累代散亡，百不存一，其彌補此缺憾者，惟恃類書。

類書者將當時所有之書，分類抄撮而成，其本身原無甚價值，但閱世以後，彼時代之書多佚，而其一部份附類書以幸存，類書乃可貴矣。……大抵其書愈古，則其在學問上的價值愈高。其價值非以體例之良窳而定，實以所收錄古書存佚之多寡而定也」，移之以論《大典》最爲切合。

《四庫》從《大典》中輯書三百八十八種五千卷，數量之多，工程之巨，影響之大，罕有其匹，可惜列於「存目」的一百二十八種書，當時未能一並輯出，得而復失，無可挽回，誠爲憾事。但當時旣經館臣簽出，卽已肯定可以還原爲完整的著作，並已寫出其書的內容提要，編入《四庫全書總目》，今日仍能查考。綜上所述，這次大規模的輯佚擧動，其實就是將類書還原爲專著，它在學術史上的價值，遠遠超過輯佚本身，而有着極爲深遠的積極影響：適應提倡讀原文、探古義的時代潮流、學術風尚一也；增加文獻的可讀性二也；標誌着類書體制的結束三也。這不是「買櫝還珠」，而是「買珠還櫝」，將拆卸下來的零金碎玉、殘璣斷壁，重新還原爲一座座「八寶樓台」，卽使是存十一於千百，亦足稱道。

㈢ 推動四庫編書

乾隆時輯錄《大典》而導致編《四庫全書》，一般都認爲由於安徽學政朱筠的建議，這當然也是事實，然而這樣的赫赫大擧，豈是朱筠一份奏摺就能發動起來，可以設想，它必然經歷過相當的醞釀準備過程。

清初顧炎武注重抄書，提倡實學，主張「著書不如抄書[9]」，強調得古書之重要，以糾明末空疏不學之弊，對當時學術風氣的轉變，有很大影響。其後諸儒聞風繼起，逐步轉向於輯佚。雍乾間，全祖望亦頗精抄書，自云：「予能舉楮墨，先君亦課以抄書……自予出游，頗復抄之諸藏書家，而於館中見《永樂大典》萬册，驚喜，欲於其中抄所未見之書[10]」，雍正年間，《大典》嘉隆副本自皇史宬移貯翰林院，時工部右侍郎李紱因在書局，得先借閱，其後全祖望寓於李紱邸中，亦得借觀。乾隆元年（一七三六）全與李相約共輯《大典》遺書[11]，而以所簽，雇四人抄錄，全氏並提出以經、史、志乘、氏族（人物傳記）、藝文五者爲重點[12]，揭示了《大典》書中之特色，從而肯定了《大典》的學術價值。惟全、李所輯，時間較短，可考者約十種[13]，皆未見傳本。嗣後其中的史浩《尚書解》、王安石《周官新義》、張淳《儀禮識誤》、劉敞《公是集》及袁燮《絜齋集》等數種，復有四庫館臣的輯本，卷帙略有差別，可見全、李所輯，實爲《四庫》輯錄《大典》的先聲，殆無疑義。至於注重到對《大典》的利用，則又遠遠不止全、李二家。康熙時，刑部尚書徐乾學，議修《大清一統志》，奏請發中秘《大典》以資考校[14]其後敕編《佩文韻府》，翰林院編修查慎行入武英殿參加編纂，曾擬奏請發《大典》翻閱增補[15]，皆未果行。乾隆初纂修《三禮》，全祖望建議總裁方苞，將《大典》中有關《三禮》者全爲錄出[16]，後杭世駿撰《續禮記集說》，宋元諸家論說採自《大典》者頗多[17]。——從徐乾學到杭世駿有關利用《大典》之建議以及他們的使用實踐，雖係個人零星抄錄，卻可以看出當時有識之士已經注意到應該發揮《大典》的學術價值。

清高宗卽位後，頗注意訪求遺書，編纂典籍，曾經多次下詔求書。乾隆三十七年（一七七二）十一、二月間，安徽學政朱筠，奏陳開館校書之議，奏章計分四項，其第二項卽請校《大典》，擇其中稀見之本輯之，以備著錄。其文曰：「臣在翰林，常翻閱前明《永樂大典》，其書編次少倫，或分割諸書，以從其類，然古書之全而世不恒覯者，輒具在焉。臣請敕擇其中古書完者若干部，分別繕寫，各自爲書，以備著錄，書亡復存，藝林幸甚[18]」。高宗批交大臣議奏，大學士劉統勛力持不可，認爲「非政之要而徒爲煩」，于敏中與劉力爭，高宗遂採朱筠之議，下詔設立專門機構，承辦徵書、編書、輯校諸事。於是由輯校《大典》遺書，一變而爲着手《四庫全書》的編纂。《四庫》的版本來源，大別之，有敕編本、內府本、大典本、各省採進本、私家進獻本、通行本六大類，而《大典》輯本卽居其一。《四庫》著錄之書，凡三千四百六十一種，其中「大典本」三百八十八種，占《四庫》著錄書十分之一強。乾隆三十八年三月，「辦理四庫全書處」酌議的條例，其中談到「《永樂大典》內所有各書，現經臣等率同纂修各員，逐日檢閱，令其將已經摘出之書，迅速繕寫底本，詳細校正後，卽送臣等復加勘定，分別『應刋』『應抄』『應刪』三項。[19]」由此可見，從《大典》中輯錄遺書，對於《四庫》的編纂，關係至大。約而言之：引起四庫開館編書的動機，一也；輯出之書爲《四庫》重要組成部分，二也；爲《四庫》所收之書，分別抄錄、刋刻[20]、存目三種處理方式作了「試點」性質的嘗試，以後遂成定制，三也。一言以蔽之，輯佚推動編書，大輅椎輪，功莫大焉。

四 促進輯佚事業

四庫輯佚的實踐以及取得的重大成績，推動清代輯佚事業以更大步伐向前發展，乾嘉以後的輯佚工作，大致可以歸納出以下幾個特點：

1. 目標以古為尚

乾嘉學派本以經學爲中堅，治學最重證據，「選擇證據，以古爲尚……據漢魏可以難唐，據漢可以難魏、晉，據先秦、西漢可以難東漢。以經證經，可以難一切傳記㉑。」而《大典》所載，皆明初見存之本，未能滿足考據家搜羅古書的渴望，因而促使他們向上一步的輯佚，即利用漢魏古注、唐宋類書以及其他古籍，爬梳剔抉，將《漢書藝文志》《隋書經籍志》以來史志著錄而今已佚之書，次第輯出，從而使乾隆時期興起的輯佚之風，更進一步向縱深發展，乾嘉以後所輯經、史部分古義舊注和佚子書，種類之多，難以備述。

2. 擴大搜輯範圍

乾隆以後，輯佚取材的範圍有了很大的拓展，由明代類書上推到宋、元類書、唐代類書。從南宋類書如《錦繡萬花谷》《事文類聚》《事類備要》中輯建炎南渡前後之佚書，從唐宋類書如《藝文類聚》《初學記》《太平御覽》中搜輯隋唐以前佚書。同時又進一步把搜輯範圍由單純從類書輯佚，擴大到利用漢魏古注。如從漢人經注中輯錄先秦和漢代人的經說，從唐人義疏中輯錄魏、晉人的經說，滙成輯本。經注以外，裴松之《三國志注》、酈道元《水經注》、劉孝標《世說新語注》、李善《文選注》等古注，也很受重視，從中輯出不少佚文。類書、古注以外，「類輯舊文，塗兼衆軌」的雜抄雜纂，乃至地理志乘、金石刻辭等等，也都在搜輯之列。

3. 結合校勘考證

隨着考據學的發展，吸取《四庫》輯本的經驗教訓，清代中、晚期的輯佚，更趨細緻、詳備。從事輯佚的學者，大都能把目錄、版本、校勘、辨僞諸方法熔爲一爐，這就大大提高了輯本的質量，是眞正的「輯佚」而不是簡單的「迻錄」「抄書」，這是《四庫》以後輯本的一大進步。乾嘉以後，爲前人已有的輯本作校補者有之，作續輯者有之，作考證者有之。發展至此，輯佚已成爲專門之學。

還有一點，必須一提。《四庫》館臣所編所輯，統屬「官書」，成於衆手，雖督課謹嚴，終不免於草率。乾隆以後的輯佚，除嘉慶年間編《全唐文》仍由朝廷組織人力從《大典》輯錄遺文以外，自此以後，輯佚多以學者個人從事爲主，湧現出嚴可均、章宗源、洪頤煊、馮登府、陳壽琪、陳喬樅、茆泮林、張澍、馬國瀚、黃奭、王謨等一大批輯佚專家，成果累累，極一時之盛。

二、《大典》輯本的缺點

㈠ 輯書標準不當

乾隆輯錄《大典》，開館編書，決不止是爲了博取「稽古右文」的美名，而是藉此機會對中國傳統典籍作一次大規模的清理，宣揚封建禮敎，消除反抗意識，「寓禁於徵」，以鞏固其封建統治。清高宗弘曆於乾隆三十八年二月十一日降旨，明白揭示輯校《大典》收書的兩個標準，一是後世「流傳已少者」，二是「足資啓牖後學，廣益多辭者」。對於「本係現在通行及屬古書而詞意無關典要者」皆不再輯錄㉒。清高宗曾指斥《大典》「儒書之外，闌入釋典道經㉓」，批評《大典》取材「雅俗並陳㉔」，因此《四庫》輯本一以儒家經典爲重，把大量小說、評話、戲曲、雜劇和百工技藝之書，摒棄在外，可見上述所謂能夠「啓牖後學」的書，指的全是傳統的儒家經典。《四庫》的編輯，前後經歷十年，所編所輯之書，都必須事先列目進呈，由高宗弘曆親自裁定。直至乾隆四十六年（一七八一）十一月還下詔宣稱「朕輯《四庫全書》當採詩文之有關世道人心者」，詩歌應「以溫柔敦厚爲教」，嚴令館臣將各種詩集中凡屬「詞意媟狎，有乖雅正」的作品「一併撤出」㉕。輯本中的宋人別集，因有青詞、密詞、道場文、齋文等，被視爲「迹涉異端」而予刪削者很多。另外，「四庫館未開之前，自康熙以來，君主之意旨，臣民之揣摩，爲女眞諱，爲建州諱，其風已熾」㉖，這種狹隘的民族偏見，至乾隆時而有更進一步的發展。乾隆四十一年十一月十七日詔稱「所有觸礙字樣，固不可存」，並具體指明「如南宋人斥金、明初人斥元，其悖於義理者，自當從改㉗」。由於上述這些原因，《大典》中很多書籍輯錄時被刪削改竄或棄置不錄。輯書標準存在這些不可彌補的缺陷，實爲《四庫》輯本最大的缺點，故列之爲首。

(二) 所輯頗多遺漏

根據《四庫》校輯《大典》的兩條標準來衡量輯本，遺漏仍然很多，有的是應該輯而沒有輯，有的是雖然已輯卻輯之未淨。所以乾隆以後，歷朝以至近代皆有人續輯。嘉慶間編纂《全唐文》時輯錄尤多，唐人的斷簡殘編，四庫館臣遺漏未輯的資料，幾將搜採無遺。當時徐松爲《全唐文》提調兼總纂官，除主持《全唐文》的工作以外，輯有《宋會要》四、五百卷、《宋中興禮書》《續中興禮書》一百五十卷、元《河南志》四卷、《大元馬政紀》一卷。

同時，擔任《全唐文》總裁的法式善、擔任總閱的阮元也分別從《大典》中輯出詩文和算書多種，自道光至光緒，魏源、文廷式、繆荃孫亦各有多種《大典》輯本。這些按照《四庫》輯書標準，都是應該輯入的，特別是徐松輯出的三部大書，是宋代的重要史料，可補《宋史》之缺，對後世影響至大，如此浩大的份量，當年四庫館臣居然漏而未輯，可見遺漏之多。

輯而未淨者更是例不勝舉。輯本中的《東觀漢記》從癰、鳥、人、郎、母、中、簿、鬴、沐、疾、檄諸韻之下輯出，自屬上乘；《元和姓纂》也算一個較好的輯本，對這兩書，《四庫全書總目》亦自詡完美，然而後人校補之作，仍復不少。張澍曾指出《東觀漢記》挂漏甚多㉘，王仁俊補輯一卷，陶棟又補輯二卷、拾遺二卷。《元和姓纂》除已有孫星衍校補本外，羅振玉校勘時，又輯得佚文一卷。此外，《續呂氏家塾讀詩記》，《四庫》「大典本」三卷，盧文弨作補闕一卷，收在《群書拾補》中。上述諸例，除說明所輯尚有疏漏外，更大的缺憾是未據他書校補。前修未密，後出轉精，猶有可說，而輯本對《大典》本身已有的佚文，視而不見，輯而未淨，則將何以爲辭?!今人欒貴明將《四庫》所收「大典本」別集，與現存《大典》殘本逐一核對，發現《四庫》「大典本」及各家補輯本共漏輯一千八百六十四條㉙。據欒貴明統計，「大典本」別集百分之九十五都有漏輯，只有《則堂集》等八種別集沒有發現遺漏。欒貴明將補輯的材料，編成《四庫輯本別集拾遺》一書，爲《四庫》「大典本」輯而未淨作了最有力的例證。《四庫全書總目》曾聲稱輯校《大典》「菁華已採，糟粕可捐」，自欺欺人，莫此爲甚！

(三) 內容常有訛誤

輯錄佚書，應按原書體例，整理成編，力求恢復或接近原書面目，因此輯者必須懂得古人寫作的習慣和編排的常例；從《大典》輯佚，則又必須了解《大典》纂修的體例。而四庫館臣昧於此義，往往只照原文抄錄，湊合成編，所以訛誤在所難免。例如從《大典》輯出劉敞的《公是集》，輯本改變了元刋本的編次，姑且不說，詩集內竟還有誤次他人唱和之作，顚倒原書次序等訛舛。盧文弨云：「唐人詩集中附見他人倡和之作，舊本皆一例平等，無高下之別。或他人倡而已和，則置他人之作於前；或他人和己，則置他人之作於後。近代則不然，凡附見者皆置後，且低一字以別之。《公是集》尙有古法，而鈔者不察，或誤以他人之作爲原父（按：劉敞字原父）作。七言近體中有其弟貢父寄詩而原父和之，遂誤以在前者屬原父，而和詩反低一格，從附見之例……當改正也[30]。」這正是輯者不了解唐宋人文集編排常例造成的錯誤。劉師培〈元憲集書後〉〈浮溪集書後〉，亦指出這兩種輯本中都有因未審作者時代背景與生平年里事迹造成的舛誤多起[31]，清代勞格《讀書雜識》中指出《四庫》輯本各種錯誤竟有近百種之多[32]。再以醫書爲例，《大典》收錄的醫書，往往於各種方劑之下，引用其他方書參校，這一類引語自不能誤作原書本文，而輯者逕爲錄入，以致北宋慶曆時人王袞《博濟方》內羼入南宋陳自明之《管見大全良方》；北宋宣和間王貺《全生指迷方》內竟雜有南宋時人陳言《三因方》及元人柳森《可用方》、袁當時《大方》諸書在內[33]，時代倒置，造成了常識性錯誤，凡此皆四庫館臣不明《大典》纂修體例有以致之。此外，別風淮雨，魯魚帝虎之誤，更是所在多有。張之洞曾以「乾隆四庫求遺書，微聞寫官多魯魚」的詩句[34]，表示了對四庫輯本不可完全信賴的遺憾之情。而其中也有一些文字錯誤據傳竟是館臣故意留下的，「館臣繕本進呈時，必故留誤字，待高宗校出指斥，以示聖明之天縱[35]」，以此諂媚帝王，令人嘆為觀止！針對輯本這些文字上的錯誤，後人對許多重要輯本，作了「校勘記」。

(四) 任意刪除改竄

乾隆修《四庫》，禁毀書幾與著錄書相等，且著錄書中刪削改竄之處極多，這已是公認的事實。《大典》輯本只是由於在簽抄之前，就已把那些在《四庫》屬於禁毀之列的書籍剔除在篩選之外，所以禁毀問題就不會像其他版本那樣引人注目。雖然如此，即簽抄書籍中，經過弘曆親自檢閱敕命刪改者，亦不乏其例。如李薦《濟南集》輯本〈詠鳳凰台〉一首，因其中有：「漢徹方秦政，何乃誤致斯」之語，弘曆認為對漢武帝豈得直書其名，與秦始皇並論，因降旨改正[36]。又如《燕丹子》一書，《大典》載有全文，館臣本已簽出待輯，詎知在列目進呈時，弘曆以其中載有荊軻刺秦王之事，深諱之，托詞其書「鄙誕不經」，置之「存目」之列。輯本胡宿《文恭集》、劉跂《學易集》、王質《雪山集》、王珪《華陽集》、張元幹《蘆川歸來集》等，都因收有靑詞一類「道家祈禱之章」，被視爲「迹涉異端」「非斯文正軌」，降旨「重加釐訂，分別削存[37]」。編纂《四庫》時，館臣議定之《查辦違礙書籍條款》，曾明白規定「凡宋人之於遼金，明人之於元，其書內記載事迹，有用『敵國』之詞，語句乖戾者，俱在酌量改正；如有議論偏謬尤甚者，仍行簽出擬銷[38]。」因此可以推想四庫「大典本」中之宋元文集、雜史雜著，經過删削改竄完全是意想中的事，可惜現在《大典》殘存無多，不能盡得原書覆按爲遺憾耳。

陳垣先生曾用《册府元龜》與《舊五代史》三種版本——即彭元瑞校抄本、盧文弨校本[39]和殿本——互校，發現異同之處甚多，凡「胡」「虜」「夷」「狄」等字，莫不改易或删除，這些改動，多出自輯本。陳氏比勘諸本，考證其改竄過程及所改諸例，寫成《舊五代史發覆》三卷，又附《薛史輯本避諱例》一卷，擧例竟至一百九十四條之多。張元濟《校史隨筆》中《舊五代史》內「清代忌諱字均删改」一節，亦多擧摘館臣竄改之失。擧一反三，可槪其餘。鑒於歷來指責乾隆查禁、改竄、銷毀圖書者，很少提到占《四庫》著錄書十分之一以上的「大典本」，故列專項以揭其失。

此外，《大典》入韵方法，淩雜不一，這對輯本的質量也有影響。《大典》「用韻以統字，用字以繫事」，本是一部按韻編排的類書，但如果能像淸代《佩文韻府》採用「齊句尾」、《駢字類編》採用「齊句首」的單一的入韻編排方式，檢索就要方便得多。《大典》的入韻方法，最爲凌雜，在這方面受到後人的訾議也最多，這裡也附帶作些探討。考《大典》二十一條〈凡例〉㊵，其中有十三條都提到入韻問題，歸納起來，《大典》入韻方法至少有五種之多：

第一種：隨字收載。詳見〈凡例〉四，擧例從略。

第二種：複姓按下一字收載，詳見〈凡例〉十二，擧例從略。

第三種：據所重字收載。〈凡例〉十三：草木鳥獸，名品既殊，事實亦異，其有二字爲名者，則詳其所重。例如芍藥、翡翠從藥字、翠字收；萱草、鳳凰從萱字、鳳字收。若璚花、陽鳥則從花字、鳥字收之類。

第四種：隨其實收載。〈凡例〉十八：古今文章……其有托物假名，或借題詠事，則隨其實收入，例如〈毛穎傳〉入筆字。

第五種：於本題字下收載。〈凡例〉十八後段：又有一篇之中，雜論衆事，或泛然而作，難以附麗者，就於本題字下收，餘倣此。例如〈上皇帝萬言書〉入書字；〈雜詩〉入詩字。

綜觀以上五種入韻方法，至少有兩大缺點，一是有些方法，語意含渾，界義不清。如「據所重字收載」「隨其實收載」「於本題下收載」，提法都含糊不清，缺乏具體的標準。二是採用這種多元化的方法，使人無所適從。輯本中漏輯較多，與編排無序，檢索困難也很有關係。至於乾隆開館輯書之時，經過清點，《大典》已殘闕二千四百二十二卷，將近二千册[41]，《大典》既非完帙，從中採輯之書，很難要求它皆爲足本，這是「大典本」客觀上的又一個缺憾，亦附及之。

輯本雖然瑕瑜互見，實際上是瑕不掩瑜。輯本的缺點，在於輯錄標準和工作方法方面；輯本的優點，在於它的實用價值，在於它對學術研究的影響和貢獻。今《大典》存本不及原書百分之四，而這些殘存的珍本，仍然有很高的文獻價值，本文亦附帶論及之。

三、《大典》及《大典》影印本的整理、研究和利用

本文旨在討論四庫輯錄「大典本」的功過得失，思路所及，又考慮到《大典》和《大典》影印本的整理、研究和利用問題，下面談點不夠成熟的意見：

㈠建立「大典學」

顧頡剛先生、謝國楨先生等著名歷史學家談到近代發現的新史料時，都肯定了甲骨、青銅器、漢晉簡牘、敦煌寫本、明清內閣大庫檔案的史料價值[42]。從古典文獻學的觀點看，前

二者屬「文物」性質，後三類方爲「文獻」。當然所有這些，都有史料價值。《大典》是我國古典文獻的一個寶庫，然而五百餘年以來，一直未能發揮應有的作用。《四庫》「大典本」的成書，《大典》影印本的問世，不啻給我們發掘出又一處石窟寶藏，因而將《大典》列爲近代第六種新史料，自亦理所當然。《大典》所收，除經、史、子、集四部以外還包括了釋典、道經、術數、醫家、農桑、天文曆算、百工技藝等各類典籍，是以文科爲主而兼有百科性質，因而除具有史料價值以外，還有它自身的學術價值，因此很有必要考慮建立以研究《大典》爲目標的「大典學」，進行多學科的有系統的研究。今天，「簡牘學」「敦煌學」成果累累，舉世矚目，明清內閣大庫檔案亦已整理出版了若干專題資料彙編，惟獨對於《大典》的研究，卻步履姍遲，門庭冷落。隨著我國政治、經濟和圖書事業的發展，建立「大典學」的時機，似已漸趨成熟，有利條件很多：《大典》存本的影印出版，當年中秘珍藏之物，今已插架於尋常百姓之家，有部份實物可徵，一也；《四庫全書》以及與研究明清歷史文化有關的圖書資料如《明實錄》《清實錄》《東華錄》以及一些大型類書、總集也都陸續影印或整理出版，明、清人的詩文別集、筆記雜考，各大圖書館典藏都已相當豐富，有大量資料可資參考，二也；近百年來有關《大典》研究的專書雖不多，而專題論文卻不少。繆荃孫、王國維、郭沫若、鄭振鐸、趙萬里、王重民、胡道靜諸大家都撰有專論，考訂精深，頗多啓迪，三也。其他有利條件尚多，限於篇幅，不能備述。

(二) 編寫工具書

要進行《大典》的整理和研究，最重要的還得編寫一系列「大典學」工具書。

1.辭典　如《永樂大典事典》《永樂大典引用書辭典》《永樂大典影印本引用書辭典》之類。

2.書目　可先編寫《永樂大典引用書目錄》利用現存《大典》目錄、凡例及目錄下雙行小注等，從中鈎稽出有用資料，滙集成編。還可編《永樂大典研究專著專論目錄》以檢閱近百年來研究《大典》的成果。以後還可準備編寫《永樂大典影印本待輯佚書佚文目錄》。當然，這首先得考訂清楚大量書籍的存佚問題，而確定是否爲佚書、佚文，又必須根據大量史志和藏書家書目、圖書館書目，並運用版本、目錄、校勘、辨僞的知識，才能着手進行。這個工作難度大，要求高，可待各類索引編成後再作部署。

3.索引　《大典》可編的索引，種類很多。目前最切實用的可先編製《永樂大典影印本事詞索引》、《永樂大典影印本引用書索引》等。此外，還可以根據各個學科的需要，編寫一些專題索引，如《永樂大典影印本人物傳記資料索引》《永樂大典影印本方志資料索引》《永樂大典影印本農業資料索引》等，並可在某些索引基礎上，選擇重要課題，撰寫提要。

4.提要　初步設想，可以編寫《永樂大典影印本韻目內容提要》《永樂大典影印本宋代史料提要》《永樂大典影印本元代史料提要》以及《永樂大典研究專著、論文提要》等。

編寫「大典學」系列工具書，是全面整理、研究《大典》的開端，是一件艱難而有價值的工作，最好能由國家和大的學術機構主持其事，作出全面規劃，限期完成。工具書是打開《大典》寶庫的鑰匙，有了這套工具書，可以進而窺探《大典》全書的概貌，以利於對《大典》作宏觀的研究，並把《大典》殘存的寶藏，全部發掘無遺，使之充分發揮作用。變零星研究爲全面整理，變盲目地、被動地探索，爲清醒地、主動地掌握全部材料，從而使《大典》的研究、《大典》影印本的整理和利用，更加深入，並取得更快的進展，獲得更大的成績。

在工具書未曾編出之前，還應抓緊對《大典》影印本的整理和利用。諸如輯錄佚文、校勘傳本、查核資料等等。趙萬里在校輯宋元人詩文，宋、金、元人詞方面；胡道靜在校輯宋人筆記方面，李儼在輯錄古算書方面、范行凖在輯錄古醫書佚文方面、張國淦在輯錄方志資料方面都已取得重大成果。他們的業績，足以激勵後進，同時證明了《大典》存本的蘊藏，仍然非常豐富，確實還有相當大的使用價值。整理和研究《大典》、整理和利用《大典》影印本，都是非常艱鉅而又富有重大意義的課題。孔子不云乎：「譬如爲山，未成一簣，止，吾止也。譬如平地，雖復一簣，進，吾往也。」知難而進，努力不懈，將是大有可爲的。

註釋

❶《四庫》輯本數字，《四庫全書總目》及繆荃孫、孫馮翼、郭伯恭、趙萬里諸家統計不一，此依今人曹書杰〈《四庫全書》採輯『永樂大典本』數量辨〉所考著錄，載《圖書館學研究》一九八六年第一期。

❷一九六〇年中華書局影印《永樂大典》七百三十卷。此後該局又陸續搜集到六十五卷，於一九八七年續印出版，共七百九十五卷，分線裝、精裝兩種版本發行。

❸《明實錄・太宗實錄》卷二十一，永樂元年（一四〇三）秋七月丙子條。

❹《四庫》館臣輯出未及列入《四庫》者，以及乾隆以後諸家所輯的元代史料、農業科技等重要輯本尚多，本節暫不涉及。

❺經部輯本七十種，其中《易經》佔十八種，《易經附錄》八種。

❻嘉慶《松江府志》古今人傳卷五十一：「王彥文號益齋……舉修《永樂大典》，領《詩經》副總裁。」

❼《四庫全書總目》集部《節庵集》提要：「得暘字節庵，錢塘人……充《永樂大典》副總裁……分掌《三禮》」。

❽梁潛〈靜學齋序〉（《泊庵集》卷六）：「予在禁林七年，得交游之士二人焉，烏江蔣君用文，姑蘇趙君友同也……皆爲上御醫，方纂修《永樂大典》，編《古經方》，二人者又總裁其事。」轉引自郭伯恭《永樂大典考》第三章。

❾顧炎武《亭林文集》卷二〈鈔書自序〉。

❿全祖望《鮚埼亭集》外編卷十七〈雙韭山房藏書記〉。

⓫見董秉純《全祖望年譜》雍正十一年條、乾隆元年條，載華世本《鮚埼亭集》卷首。

⓬同註❿。

⑬ 根據繆荃孫〈永樂大典考〉(載《藝風堂文集續集》卷四)及趙萬里〈《永樂大典》內輯出佚書目〉(載《國立北平圖書館館刊》三卷三、四合期，一九二九年三—四月)兩文統計。
⑭ 同註⑩。
⑮ 見查慎行《得樹樓雜抄》(《適園叢書》本)。
⑯ 同註⑩。
⑰ 杭世駿《道古堂全集》卷四，並見〈續禮記集說序〉。
⑱ 《辦理四庫全書檔案》乾隆三十七年十二月〈安徽學政朱筠條奏採訪遺書事宜摺〉。
⑲ 《辦理四庫全書檔案》乾隆三十八年三月〈辦理四庫全書處酌議排纂四庫全書條奏〉。
⑳ 乾隆敕編《武英殿聚珍版叢書》，共刊一百三十八種，其中「大典本」八十三種。
㉑ 梁啓超《清代學術概論·十三》。
㉒ 清高宗〈乾隆三十八年二月十一日諭〉，載《四庫全書總目》卷首。
㉓ 同註㉒。
㉔ 〈命校《永樂大典》因成八韻示意並序〉，清高宗《御製詩四集》卷十一。
㉕ 以上三則引文俱見〈乾隆四十六年十一月初六日諭〉，載《四庫全書總目》卷首。
㉖ 孟森〈選印四庫全書平議〉，載一九三三年《青鶴》雜誌第一卷第二三期。
㉗ 清高宗〈乾隆四十一年十一月十七日諭〉，載《四庫全書總目》卷首。
㉘ 參看張澍《養素堂文集·書東觀漢記後》。
㉙ 欒貴明《四庫輯本別集拾遺》序言，中華書局一九八三年版。
㉚ 盧文弨《抱經堂文集》卷十三〈劉公是集跋〉。
㉛ 劉師培《劉申叔先生遺書·左庵集》。
㉜ 勞格《讀書雜識》，《月河精舍叢鈔》本。

㉝ 范行準《述現存永樂大典中的醫書》，載《中華文史論叢》第二輯，一九六二年十一月。

㉞ 張之洞《廣雅堂詩集》上册〈潘侍郎藤陰書屋勘書圖歌，圖爲無錫秦誼亭作〉。

㉟ 同註㉖。

㊱ 《辦理四庫全書檔案》，〈乾隆四十二年十月初七日諭〉。

㊲ 《辦理四庫全書檔案》，〈乾隆四十年十一月十七日諭〉。

㊳ 《禁書總目》卷中。

㊴ 彭、盧兩本皆與邵氏原輯本相近，傳寫均在殿本之前。彭元瑞校抄《舊五代史》一九二一年經豐城熊氏影印，故又稱「熊本」；盧文弨校本《舊五代史》一九二五年經吳興劉氏刋刻，故又稱「劉本」。

㊵ 《大典》目錄、凡例，載於《連筠簃叢書》。

㊶ 《四庫全書總目》子部類書類存目《永樂大典》提要。

㊷ 參看顧頡剛《當代中國史學》中編〈新史料的發現與研究〉，一九四七年初版，一九六四年校訂本；謝國楨《史料學概論》第二章，福建人民出版社一九八五年版。

（原刊《杭州大學學報》第十八卷增刊，一九八八）

八、永樂大典嘉隆副本考略

大典始纂于永樂元年（一四〇三）七月，至次年十一月，書成，賜名《文獻大成》，明成祖朱棣以纂修未備，於永樂三年（一四〇五）正月命姚廣孝等重修，至永樂六年（一四〇八）冬告成，定名《永樂大典》（以下簡稱《大典》），前後兩次纂修共計歷時五年多。其纂修經過，史有明文，迄無異議。至嘉靖年間，世宗朱厚熜命重錄副本。關於當時重錄一部還是兩部，史書上缺乏明確的記載，至今聚訟紛紜。按《四庫全書總自》（以下簡稱《總目》）稱：「嘉靖四十一年（一五六二）選禮部儒士程道南等一百人重錄正、副二本，命高拱、張居正校理（原注：案事見《明實錄》）至隆慶初告成，仍歸原本於南京（原注：案事見《舊京詞林志》）；其正本貯文淵閣，副本別貯皇史宬（原注：案事見《春明夢餘錄》）明祚既傾，南京原本與皇史宬副本並毀。今貯翰林院庫者，卽文淵閣正本，僅殘闕二千四百二十二卷❶。」這段話中提出《大典》竟曾經有過原本、正本、副本三部之多，令人費解。因《總目》爲乾隆敕編，屬於官書，又多出於當代名家之手，人們不敢輕易置疑，因而長期以來，《大典》重錄部數問題，始終是撲朔迷離，莫衷一是。光緒間，繆荃孫作《永樂大典考》，還說嘉靖四十一年「選禮部儒士程道南等一百人，重錄正、副二本❷」，顯然是沿襲了《總目》的說法。本文擬就一些可疑的問題，分項考辨如下。

二、駁重錄正、副二本說

考《大典》編成以後，藏於南京之文淵閣❸，明成祖「並命複寫一部，鋟於梓，以永樂七年十月訖工，後以工費浩繁而罷❹。」這個限期完成重錄並據以刊版的計劃，後來並未能實現。永樂十八年（一四二〇）十一月，成祖以遷都北京詔告天下❺，十九年北京大內新成，又命將南京文淵閣藏書裝船北運，據傳《大典》原本就是在這個時候運抵北京，貯於文樓的❻。此後百餘年，深鎖秘藏，寂寞無聞，尋常人更無從寓目。

㈠重錄副本經過

明嘉靖三十六年（一五五七）四月十三日，北京的奉天、華蓋、謹身三殿火災，世宗命人救出《大典》並移貯史館❼。經過這次火災的意外驚恐，他深感孤本存貯，難保無虞，因此常與內閣大臣商議重錄副本之事，嘉靖四十一年七月十八日世宗面諭閣臣徐階承辦處理，並指示說，此書「典帙萬計，非歲月可完，今不必若式……書法亦不必拘，止要副具舊册，體皇祖之制焉❽。」意謂可以不必根據原書字體、格式抄寫。但徐階認爲不妥，次日上疏奏陳重錄副本應悉照原本式樣，奏云：「昨蒙皇上以重錄《大典》，命臣處理……臣昨歲嘗恭閱《大典》，有大字，有小字，有篆隸草等字，又畫有山川、宮室、草木等項形象，若式册一動，則其行數、字數、與凡款格，皆須更改，從新布置，恐不若仍從舊式對本照寫之便宜也。臣愚見如此，伏乞聖明裁示遵行。」奏入，世宗從之，並委派徐階主持此事，總攬其成。

這份奏疏，決定了副本的卷册與式樣，即「仍從舊式對本抄寫。」徐階《世經堂集》卷六所載〈處理重錄大典奏〉三則，對於重錄《大典》的組織機構、人員配備以及計劃實施，都作了詳細的規定。從這三份奏疏中，可以了解到重錄《大典》館之組織情況。這些奏疏還定下了嚴格的紀律約束，規定「每人一日約寫三葉，計每人每年可寫千餘葉」「每日所寫《大典》書葉，須逐一校對，遇有差錯，即發與另寫」，「校書並寫書者，俱每日早於閣中領書，至晚交書」，「不許潛帶出外，雇人代寫，致有疏失」。至於抄錄副本所須的物資以及後勤管理等行政事務，分別由內府內官監、司禮監、欽天監、御用監，內府惜薪司及工部、吏部、刑部都察院、錦衣衛、光祿寺、翰林院等機構配員協助。如由內府內官監布置館內工作地點，欽天監擇開館吉日，內府司禮監按月支給官生紙劄，硃墨等器用，錦衣衛負責撥送校尉，同見在館校尉擔任巡禁、保衞工作等等，布置十分周密、愼重。徐階連上三份奏疏以後，八月初三日奉旨：「是，着總校官等嚴加程督[9]。」於是，遂開館於文淵閣，進行重錄副本的工作，至穆宗隆慶元年（一五六七）四月完成，前後耗時四年八個月，世稱此次抄錄之本爲嘉靖副本或嘉隆副本。

(二)當時僅錄一部

辨明當時僅錄一部，至少可以舉出以下三個方面的理由和證據。

第一：《明實錄·世宗實錄》明言重錄一部。《總目》所稱「重錄正、副二本」「事見《明實錄》」，而《明實錄》並無重錄正、副二本的記載。相反，《世宗實錄》卷五百十二在敍及嘉靖三十六年（一五五七）三殿遭災一事時說：「及三殿災，上聞變，卽命左右趣登文樓，出《大典》，甲夜中諭三四傳，是書遂得不毀，上意欲重錄一部，貯之他所，以備不虞，每爲閣臣言之。」

第二：明、清筆記、雜著多言「重錄一部」。

1.明沈德符《野獲編》補遺卷一：「嘉靖間遇大內災，世宗猶三四傳旨移出，始得無恙。後命重錄一部，以備不虞⑩。」

2.明朱國楨《涌幢小品》卷二：「……三殿災，命左右趣文樓，出之，夜中傳諭三四次，遂不毀。又明年，重錄一部，貯他所⑪。」

3.明劉若愚《酌中志》卷十八：「……其寫册原本相傳至嘉靖年間於文樓安置，偶遭回祿之變，世廟亟命挪救，幸未至災，遂敕閣臣徐文貞階復命儒臣照式摹抄一部，當時供謄寫官生一百八人，每人日抄三頁，自嘉靖四十一年起，至隆慶元年始告完成，及萬歷年間，兩宮三殿復遭回祿，不知此新、舊《永樂大典》二部，今又見貯於何處也[12]。」

又《明宮史》所記與《酌中志》略同。按《總目》云此書「舊本題呂毖校次」，並云毖始末未詳，「蓋明季宦官也」。按此書原爲劉若愚所撰，呂毖不過輯集成書而已，清末刻本已逕題劉若愚撰，兩書既同出一人之手，不另列。

4. 清張廷玉《澄懷園語》卷三：「此書原貯皇史宬，雍正年間移置翰林院，予掌院事，因得寓目焉。」又說「明世宗當日酷嗜之，旃廈乙覽，必有數十帙在案頭，一日大內火災，世宗夜三四傳旨移出，始得無恙，後命重錄一部，以備不虞，此見之明人記載者。[13]」

5. 清姜紹書《韻石齋筆談》卷上：「嘉靖三十六年，大內回祿，世宗亟命那救，書幸未焚。敕閣臣徐文貞階復命儒臣照式摹抄一部，當時供謄寫者一百八名，每人日抄三葉，自嘉靖四十一年起，至隆慶元年，始克告竣。[14]」

6. 清查慎行《得樹樓雜抄》卷五：「世廟朝，三殿災，命左右趣登文樓出之，得不毀。明年，重錄一部，置他所[15]。」

7. 清吳騫《尖陽叢筆》卷十：「……嘉靖間火，幸未至災，閣臣徐階復命儒臣照式摹抄一部，自嘉靖四十一年至隆慶元年始竣[16]。」

8. 清全祖望〈抄永樂大典記〉：「嘉靖四十一年（按：應在三十六年）禁中失火，世宗亟救出此書，幸未被焚，遂詔閣臣徐階照式摹寫一部。當時書手一百八十（按：疑爲一百八人之誤）每人日抄三紙（原注：一紙三十行，一行二十八字）至隆慶改元始畢[17]。」

9.清法式善〈校大典記〉：「嘉靖三十六年，三殿災，書以救獲免，敕閣臣徐階摹抄副本一部，書手一百八名，每人日抄三葉，起嘉靖四十一年，訖隆慶元年，凡六載竣事[18]。」

10.清蕭穆〈記永樂大典〉：「明世宗當日酷嗜之，旃廈乙覽，必有數十帙在案頭。一日大內火災，世宗猶三四傳旨移出，始得無恙，後命重錄一部，以備不虞[19]。」

考訂史事，孤證難憑。以上所引明清筆記、雜著、專論已達十則之多，這些論述，都說嘉隆時期重錄《大典》，只抄了一部，言之鑿鑿，無一疑詞，而且寫這些文章的，有的是明朝人，如劉若愚就是萬曆朝的太監；有的雖是清代人，然大都熟悉《大典》掌故，其中全祖望、法式善等人還曾親自從《大典》中輯錄過佚書，對《大典》抄錄、流傳的情況知之最稔。這十則材料都肯定當時僅錄一部，這應該是確定無疑的了。

第三：抄手百人五年亦只能抄成一部。

《大典》總凡二萬二千八百七十七卷，裝成一萬一千零九十五冊。按徐階〈處理重錄大典奏一〉規定的「每人一日約寫三葉」每年可寫千葉計算，一百零九名抄手在五年時間內亦只能夠抄成一部。關於這一點，近人郭伯恭曾作過分析計算，他說：「按《大典》每冊自十餘葉至三十餘葉不等，折衷計算，通以二十五葉爲準，則一人所寫五千葉卽爲二百本，一百零九人合計之，共得一萬一千八百本，而《大典》原冊爲數一萬一千九十五，所多無幾，可謂符合；則重錄本，止一部，彰彰明甚[20]。」

以上無論從文獻記載還是從抄寫過程核算，都證實嘉靖年間所抄的《大典》副本，確爲一部無疑。

二、駁「歸原本於南京」和原本、副本俱毀說

下面擬從幾方面來探討上述兩個問題

(一) 南京文淵閣書遷移北京以後的情況

明成祖朱棣遷都北京，隨將原藏南京的重要圖籍，由水道北運抵京，貯於文樓，這些都已見於文獻記載。明姚福《青溪暇筆》曾說：「永樂辛丑（一四二一）北京大內新成，敕翰林院凡南內文淵閣所貯古今一切書籍，自有一部至有百部，各取一部送至北京，如悉封識收貯如故。時修撰陳循如數取進，得一百櫃，督舟十艘，載以運京[21]」。《大典》當亦在此時運抵北京，自永樂以後，歷經仁、宣、英、憲、孝、武宗諸朝而無所變動。惟是貯於中秘，未能見諸著述家之目。成祖以後諸帝亦少有能閱覽利用者，至孝宗（朱祐樘，年號弘治）時代藏之金匱[22]，才有一些關於利用《大典》的記載。如閣臣王鏊說孝宗喜愛讀書「經筵之外，每觀《永樂大典》，又嘗索《太極圖》《西銘》等書於宮中，玩之尤嗜[23]。」還曾命人抄錄《大典》藥物禁方，賜御醫房諸臣，又以《大典》金匱秘方，外人所未見者，親手書寫，賜

給太醫院。王鏊先後撰寫〈御賜禁方頌〉和〈御書秘方贊〉歌頌其事[24]。《明實錄》也有關於世宗利用《大典》的記載，略云「上（世宗）初年好古禮文之事，時取探討，殊寶愛之，自後凡有疑却，悉按韻索覽，凡案間每有一二帙在焉[25]。」這些記載，除去歌頌的浮辭以外，我們可以看出《大典》這時確實貯於宮中，他們才能夠就近取閱，特別是後來三殿火災，世宗命從文樓救出《大典》，嗣後重錄副本，也是以北京所藏原本爲根據的。上述這些記載，有力地證明原本早在北京宮中。《總目》所謂「歸原本於南京」的說法，缺乏史料依據，自然不能成立。

(二) 南京文淵閣早被焚毀

《明史·英宗前紀》正統十四年（一四四九）有「南京謹身諸殿災」的記載，姚福《青溪暇筆》所記更爲詳明：「至正統己巳（十四年）南內大災，文淵閣向所藏之書，悉爲灰燼，」福爲江寧（今南京市）人，《總目》謂《青溪暇筆》所記皆作者「札記讀書所得，及雜錄耳目見聞，其首卷所述明初軼事，多正史所不載。[26]」根據這些記載，正統十四年（一四四九）比《大典》錄副成書的隆慶元年（一五六七）早一百十八年，在那時南內即已毁於火災，百餘年後即使要將《大典》運往南京，亦將無處存放。據此更可知「仍歸原本於南京」之說，難以憑信。考《世宗實錄》記載自三殿火災之後「上（世宗）意欲重錄一部，貯之他所，以備不虞，每爲閣臣言之，至是諭大學士徐階曰：「昨計重錄《永樂大典》，兩處收藏，茲秋涼，可處理。」乃選各色善楷書人禮部儒士程道南等百餘人，就史館分錄，而命拱等校理之[27]」這裡所說的重錄一部「貯之他所」「兩處收藏」，揣其原意，都是指北京而言，斷乎不致在遷都百餘年以後，反而把朝廷珍藏的典籍，運回南京貯放，這應該是不煩多辨的了。

㈢明末所毀者爲文淵閣正本而非副本

關於《大典》文淵閣正本的亡佚問題，一直是衆說紛紜，歸納一下，大致有兩種意見：一種意見認爲正本爲李自成所焚毀，持此說者有姜紹書、錢謙益、法式善等人；另一種意見認爲入清以後，正本尚在乾清宮中。持此說者有全祖望、繆荃孫等人。今按上述兩種意見，都缺乏充分證據。姜、錢等人只是泛指內府秘閣藏書被毀，他們並不能指實所毀者確爲《大典》。甲申之役，思宗（朱由檢，年號崇禎）自縊，多爾袞整師入關，師行所至，兵火焚掠，彌亘四方，奇書秘冊，灰飛烟滅者不可數計，非目睹其事者誰能確指毀於李自成還是毀於多爾袞。姜紹書說內閣秘府藏書，「至李自成入都，付之一炬[28]。」錢謙益謂明代積累二百餘年的藏書，「一旦突如焚如，消沉於闖賊之一炬，內閣之書盡矣[29]。」當時的封建文人，大都敵視農民起義，他們把戰亂的全部後果，不加分析地一概歸之於起義軍之所爲，這種歪曲事實的記載，史書不乏其例，有些還僅僅是揣度之詞，如法式善就說《大典》正本「相傳爲李自成所摧毁[30]。」「相傳」云云，可見皆爲耳食之言，自不能作爲歷史根據。全祖望說：「曁我世祖章皇帝（愛新覺羅·福臨，年號順治）萬幾之餘，嘗以是書（按指《永樂大典》）充覽，乃知其正本尙在乾清宮中，顧莫能得見者[31]。」旣稱「莫能得見」，怎能肯定福臨所閱者就是《大典》正本而不是副本。繆荃孫甚至還說「嘉慶丁巳（二年，一七九七）乾清宮災，正書遂毁[32]。」則尤難據信。因爲假如《大典》入清之後，果在乾清宮中，則乾隆九年（一七四四）于敏中等奉敕編寫《天祿琳琅書目》前編時，將禁中所藏善本都集中昭仁殿編目，乾清宮近在咫尺，倘使當時藏有《大典》正本，怎會摒棄不載？乾隆三十八年（一七七三）四庫開館，從《大典》中輯錄佚書，館臣屢嘆嘉隆副本已有闕失，當時搜羅殘佚之令，遍於國中，如果禁中藏有正本，決不會失之眉睫之間，到後來清高宗弘曆也只有發出「久閲滄桑惜弗全」的無可奈何的慨嘆[33]。由此可見《大典》正本的亡佚，歷史上缺乏明確的記載，究竟毁於何人之手，不能臆定。我們只能根據相關史料，判斷大致被毁於明、清易代之際那一段戰亂時期。但可以斷言的是，正本在清代以前就已經失傳了。

自從《總目》提出「明祚旣傾，南京原本與皇史宬副本並毁」的說法，正本、副本之外竟又多出一個南京「原本」。實際上「正本」就是「原本」，也就是重錄副本時所據的底本，因爲針對「副本」而言，所以稱爲「正本」，此外，並沒有第三個本子。上文已考知《總目》所稱「南京原本」本是子虛烏有，再從今所存《大典》影印本驗證，確信明末所毁者爲貯於文淵閣之正本而非副本。

三、確認今殘存者爲嘉隆副本

這個問題，可以從文獻記載和《大典》書末題署兩個方面來進行論證。

關於文獻記載：上文曾述及張廷玉，在《澄懷園語》曾說過「明世宗重錄一部，原貯皇史宬，雍正年間，移置翰林院」的話，張氏康熙時官至保和殿大學士、軍機大臣，雍正、乾隆時位皆顯要，歷仕三朝，前後居官五十年，《明史》是在他擔任總裁任內告成的，他所說的話當有參考價值。另外也還有一些材料說明《大典》副本雍正初移置翰林院敬一亭。全祖望也說「……及聖祖仁皇帝（愛新覺羅玄燁，年號康熙）實錄成，詞臣屏當皇史宬則副本在焉，然終無過而問之者……會逢今上（按指淸世宗愛新覺羅胤禛，年號雍正）纂修《三禮》余始語總裁桐城方公（按指方苞），抄其《三禮》之不傳者，惜乎其缺者幾二千册[34]。」他的話較張廷玉更爲明確，宣稱皇史宬所藏者爲「副本」，而且在當時就已發現殘缺。全祖望與李紱曾一道輯錄過《大典》中的佚書[35]，手翻目驗，較得之傳聞者尤爲可靠。

關於《大典》書末題署問題：徐階〈重錄大典奏一〉建議，凡主管重錄的官員，都必須「各書職名於卷末，以便查考[36]」。以今之存本（影印本）驗證，所列有總校官、分校官、書寫、圈點等人員，並分別在書末題署職名。以卷九一二爲例，其署名方式如下：

重錄總校官侍郎臣　高　拱

學士臣　瞿景淳

分校官檢討臣　馬自強
書寫儒士臣　姜　憲
圈點監生臣　李莊春
臣　蘇性愚

由於主管官員較多以及分工的關係，各卷署名不盡相同，而其題署的形式則完全一致。

再以卷一二九三〇末葉示例：

重錄總校官侍郎臣　秦鳴雷
學士臣　胡正蒙
分校官侍讀臣　呂　旻
書寫儒士臣　陳大吉
圈點監生臣　喬承華

再說重錄官生的人數問題，徐階〈處理重錄大典奏三〉記載：「官生一百九員名，分爲十館；所寫之書，總校官二員，總管各館，分校官十員，各管一館[37]。」然按之《大典》影印本，書寫官生尚未超出百名，而總校官、分校官皆有超出上述規定名額之外者。筆者曾將一九八六年中華書局影印的七百九十七卷《大典》殘本，逐卷一一查核，這個本子題署的總校官就有高拱、瞿景淳、秦鳴雷、胡正蒙、陳以勤、王大任六人。分校官就有徐時行、吳可行、陶大臨、林爌、丁士美、王希烈、張四維、孫鋌、馬自強、張居正、呂旻、汪鏜、諸大綬、姜金和、胡杰十五人。（其中姜金和、胡杰等人出現頻率較少。姜金和見八五二七等卷，胡杰見一九四二六等卷），就現存這個影印殘本的卷末題名看，總校官超出四人，分校官超出五人，這可能是隨著工作的進展，主持的官員隨時都有更換和增加的緣故㊳。這裡必須著重指出的是，這些題署前面都冠有「重錄」二字，如上述「重錄總校官侍郎臣高拱」之類，這就是嘉隆重錄本卽副本的鐵證。

四、嘉隆副本的下落

遠在四庫開館編書之前，全祖望、李紱就發現已有殘闕，四庫開館後，淸點翰林院所貯之《大典》副本，核實已殘闕二千四百二十二卷㊴淸高宗爲此曾專門發布了查訪闕佚的諭旨，諭旨中揣測遺失的兩個原因，一是「似係康熙年間開館修書，總裁官等取出查閱，未經繳回。」並具體點到幾個官員的名字，說「彼時如徐乾學、王鴻緒、高士奇等皆在書局最久，其家或尚有此書剩本，亦未可定」；一是「又或此書別經流播，因而散落人間，以及書賈坊林，視爲前朝舊書，轉相售易，亦屬事理所有㊵」。當時曾派專人廣爲查訪，但結果毫無所獲。

據明末張岱《陶庵夢憶》記載：「徐儀部靑蓮攜其尊人所出中秘書名《永樂大典》者，與《韻山》政相類，大帙三十餘本，一韻中之一字猶不盡焉㊶。」可見《大典》在明末就已有散佚，這裡雖沒有明言是正本還是副本，但正本藏於文淵閣，禁中防守嚴密，偷盜不易，故徐靑蓮所攜者，殆卽嘉隆重錄之副本，果爾，則副本在明末卽已有散落人間者矣。至於上述乾隆查訪闕佚諭旨中所述的兩點，雖追查無獲，然亦不能否定他的懷疑，語出有因。

據上所述，四庫編書時，《大典》副本尚存九千餘册，到光緒初年又散佚殆半。據繆荃孫記載：「光緒乙亥（元年，一八七五）重修翰林院衙門，庋置此書不及五千册，嚴究館人，交刑部，斃於獄，而書無着。」接著又說：「迨丙戌（光緒十二年一八八六）志伯愚侍讀銳，始導之入敬一亭觀書，並允借閱，……前後閱過九百餘册，而余丁內艱矣。[42]」又據翁同龢光緒二十年（一八九四）六月初十日的日記記載：「午初至翰林院，赴大教習任……看明抄《四史》不全，《永樂大典》剩八百餘本[43]。」

關於同光以來《大典》存本的數字，記載較多，各家所記前後矛盾牴牾亦較大，惟上述三則記載——繆荃孫說的光緒元年有不到五千册，光緒十二年至少有九百餘册，翁同龢說的光緒二十年有八百餘册——都是經過作者自己目驗或檢點過的數字，似與他人口耳相傳的記載有所不同，它的可信程度也比較大。據此，則《大典》在乾隆至光緒初年已散佚四千餘册，當然尚難確指佚在何時，以及因何而佚，但綜觀有關記載，帝國主義的入侵，戰爭的破壞，是第一個重要原因，清政府政治腐敗，藏書管理制度鬆弛，屢遭偷竊是第二個重要原因。

帝國主義的焚燒掠奪，最嚴重的是咸豐十年（一八六〇）的英法聯軍和光緒二十六年（一九〇〇）的八國聯軍。英法聯軍之役，《大典》爲英人掠去特多，後藏於倫敦博物院，清人王頌蔚〈送黃公度隨使歐洲〉詩，有云「《大典》圖書淵，漁獵資來學，歲久漸淪蕪，往往山岩伏，頗聞倫敦城，稿尚盈兩屋，願君勤搜訪，寄我採遺目[44]」稿盈兩屋，雖非確數，但可以想見被掠之多。卽如貯藏於翰林院的《四庫全書》副本亦遭大量破壞[45]。同貯於翰林院的《大典》副本，必亦同罹此厄。而損失更大並促成《大典》最後散亡的是「八國聯軍」之入侵。光緒二十六年英、美、德、法、俄、日、意、奧八個帝國主義國家，爲了瓜分中國，鎭壓義和團運動，組成侵華聯軍，攻入北京，翰林院在東交民巷，與使館區相鄰，在激烈的戰火中，翰林院敬一亭被毀，所貯《大典》副本大部份爲兵火所焚，有的散落在瓦礫之中，侵略軍紛紛哄搶，還拿它來代替磚塊，支墊構築工事甚至用來鋪路，事後不少人從廢墟中檢得殘書，在這次浩刧中，《大典》殘本爲侵略軍搶走的也不少，這些書流散到世界各國圖書館、博物館或私人手裡，成爲他們象徵東方文化的陳列品。據鹿傳霖奏摺稱，這次損失《大典》的總數，共達六百零七本之多[46]。

至於咸同以來，清政府官員利用職務或工作上的便利，監守自盜，偸竊《大典》的醜事，亦屢有所聞。繆荃孫說，當時一些所謂「翰林公」採用的「盜書之法」是「早間入院帶一包袱，包一綿馬褂，約如《永樂大典》兩本大小，晚間出院，將馬褂穿於身上，偸《永樂大典》兩本，仍包入包袱內，如早間帶來樣式，典守者見其早挾一包入，晚復挾一包出，大小如一，不虞其將馬褂加穿於身，偸去《永樂大典》兩本，包於包袱內而出[47]。」由於這些無恥文人競相偸盜，致使《大典》很快地大量散佚。葉德輝《書林清話・卷八》曾記載：「《永樂大典》有百餘本，在萍鄉文芸閣學士廷式家，文故後，其家人出以求售，吾曾見之，皆入聲韻，白紙八行，朱絲格抄，書面爲黃絹裱紙，蓋文在翰林院竊出者也。」這一則紀事，更證明繆荃孫所說「翰林竊書」之事，眞確可信，偸竊者必不止文廷式一人，只不過文氏的贓物恰巧被葉德輝看到罷了。由於上述原因，也就更加加速了《大典》副本的散亡。至清朝末年，學部發交京師圖書館不過六十册而已。嗣後私家收藏，輾轉售出，國家圖書館收藏稍有增加，但也還有相當一部份流散海外。近人袁同禮根據查訪，編製了《永樂大典現存卷目表》，表分〈國內現存大典數目表〉和〈國外現存大典數目表〉兩項，據該表所列，國內現存者包括國家圖書館及私家收藏共一百九十五册；國外各圖書館、博物館和私人收藏現存者共一百四十四册，袁表所載未詳藏地者尙有十册，總共三百四十九册，六百六十三卷。此外，流散國內國外一時難以查明者究有多少，當時尙不得而詳。近年據有關文獻披露，現存於世界各地十多個國家、三十多個公私收藏者手中的《永樂大典》約三百七十册左右，共八百卷。

一九六〇年中華書局曾就當時徵集到的七百三十卷影印出版，分裝二十函，共計二百零二册，爲線裝本。此後二十餘年間，經過繼續調查和搜訪，又陸續徵集到六十七卷（包括拍攝來的顯微膠卷複製本），一九八六年仍舊印製紅黑套印線裝本，便於與一九六〇年影印線裝本配套一致。同時又影印十六開精裝本，所收卷數與線裝本相同，均爲七百九十七卷。據該書〈重印說明〉說，這個本子，「已占所估計的殘存本總數八百卷的百分之九十九以上，應當說，是目前搜集最爲齊全的《永樂大典》影印本了。」這個本子的底本，就是嘉隆重錄副本。

註釋

❶《四庫全書總目》子部類書類存目《永樂大典》條。

❷繆荃孫《藝風堂文續集》卷四〈永樂大典考〉，清光緒二十六年（一九〇〇）刻本。

❸鄭棠《道山集》卷二樂府〈大聖樂〉：「文淵東閣，前朝秘監，東觀石渠，下閣九間藏《大典》，上閣牙簽縹帙百二層厨」。轉引自郭伯恭《永樂大典考》第五章。

❹《四庫全書總目》子部類書類存目《永樂大典》條。「訖工」句下原註「案事見明趙友同《存軒集送禮部員外郎劉公復命序》；「而罷」句下原注「案事見《舊京詞林志》。」

❺《明史·成祖本紀》永樂十八年條。

❻《明實錄·世宗實錄》（卷五二一嘉靖四十一年）言及「三殿災，上（世宗）聞變，即命左右，趣登文樓，出《大典》，」可見《大典》早已貯於北京大內的文樓。

❼見《明實錄·世宗實錄》三殿災並見沈德符《野獲編》卷四宮殿被災條。

❽徐階《世經堂集》卷二〈答覆錄大典諭疏〉，清康熙二十年（一六八一）重刊本。

❾徐階《世經堂集》卷六〈處理重錄大典奏三〉，清康熙二十年（一六八一）重刊本。

❿《野獲編》，清道光七年（一八二七）錢塘姚氏扶荔山房刻本。

⓫《涌幢小品》收入《筆記小說大觀》第二輯。

⓬《酌中志》，《叢書集成初編》本。

⓭《澄懷園語》，清乾隆十一年（一七四六）刻本。

⓮《韻石齋筆談》，《知不足齋叢書》本。

⓯《得樹樓雜抄》，《適園叢書》本。

⑯《尖陽叢筆》，《適園叢書》本。

⑰《鮚埼亭集》外編，清嘉慶九年（一八〇四）刻本。

⑱郭伯恭《永樂大典考》稱據孫壯〈永樂大典考〉引，該文載於北平圖書館月刊二卷三、四號合刊。

⑲《敬孚類稿》，清光緒三十三年（一九〇七）刻本。

⑳郭伯恭《永樂大典考》第五章。一九三七年出版。

㉑《青溪暇筆》收入《景印元明善本叢書十種·今獻彙編》及《說庫》。

㉒見《韻石齋筆談》卷上，《知不足齋叢書》本。

㉓《震澤先生集》卷二十，明嘉靖十五年（一五三六）刻萬曆遞修本。

㉔《震澤先生集》卷三十二。明嘉靖十五年（一五三六）刻萬曆遞修本。

㉕《明實錄·世宗實錄》卷五二一嘉靖四十一年條。沈德符《野獲編》補遺亦有同樣記載。

㉖《四庫全書總目》子部雜家類存目《青溪暇筆》條。

㉗《明實錄·世宗實錄》卷五百十二。

㉘《韻石齋筆談》卷上《秘閣藏書》條，《知不足齋叢書》本。

㉙《有學集》卷二十六〈黃氏千頃齋藏書記〉，《四部叢刊》本。

㉚法式善《存素堂文續集》卷二〈校永樂大典記〉。轉引自郭伯恭《永樂大典考》第六章。

㉛《鮚埼亭集》外編卷十七〈抄永樂大典記〉，清嘉慶九年（一八〇四）刻本。

㉜《藝風堂文續集》卷四〈永樂大典考〉，清光緒二十六年（一九〇〇）刻本。

㉝清高宗《御製詩四集》卷十一〈命校永樂大典因成八韻示意詩〉。

㉞《鮚埼亭集》外編卷十七〈抄永樂大典記〉，清嘉慶九年（一八〇四）刻本。

㉟詳見拙文〈論四庫全書館輯錄「大典本」的功過得失〉載《杭州大學學報》（哲社版）一九八八年增刊《古典文獻論文專輯》。

㊱ 徐階《世經堂集》卷六，清康熙二十年（一六八一）重刊本。

㊲ 徐階《世經堂集》卷六，清康熙二十年（一六八一）重刊本。

㊳ 《大典》重錄本開創了在書末題署官員職名的例子，清編《四庫全書》亦仿照辦理。四庫原定分校官三十人，後亦增至三十九人。

㊴ 《四庫全書總目》子部類書類存目《永樂大典》條。

㊵ 〈辦理四庫全書檔案〉上册，乾隆三十八年（一七七三）二月二十三日諭。

㊶ 張岱《陶庵夢憶》卷六，《叢書集成初編》本。

㊷ 繆荃孫《藝風堂文續集》卷四〈永樂大典考〉，清光緒二十六年（一九〇〇）刻本。

㊸ 《翁文恭公日記》甲午六月初十日。民國乙丑（十四年，一九二五）影印本。

㊹ 《寫禮廎詩集》，民國四年（一九一五）刊《寫禮廎遺著》本。

㊺ 任松如《四庫全書答問》，上海啓智書局本。

㊻ 鄧之誠《古董瑣記》卷四〈庚子所失法物圖書〉條引近人《簷簃叢記》轉載鹿傳霖摺奏。

㊼ 劉聲木《萇楚齋隨筆》卷三引，劉氏《直介堂叢刻》本。

（原刊《杭州大學學報》第十九卷第三期，一九八九）

九、古籍的考辨

考訂古籍的眞僞、時代和作者，是歷史研究的重要課題，也是古籍整理的一項重要任務。有些古籍眞僞難分是多方面的原因造成的：古代書寫工具笨拙，當時的簡冊爲巫史所掌，世代相傳，很難考定爲某代某人所記；古人不自著書，《論語》爲孔子門人所記，《管子》則亦後人記述。故有管仲身後的記載；且古人所述，一般都是爲了應用，其書的著者姓名往往湮沒弗彰，後人憑揣測題名，往往多不可信。我國古代各地區的方言差異很大，文字又屢經變遷，由甲文而籀文而小篆而隸書，每一次文字變革，簡冊書籍都須經過翻譯傳寫，難免有改動和失眞的地方。但是秦漢以後的僞書，情況則又有別，出於後人有意僞造者居多，其作僞緣由和所採方式又有各自的特點。曹丕《典論．論文》謂：「常人貴遠賤近，向聲背實」，故「八卦」托名伏羲，《本草》托名神農，《內經》托名黃帝，這都是托古人之名以相號召，三國魏王肅作《聖證論》駁難鄭玄，竟至僞造《孔子家語》作爲立論依據，這是想在學術上戰勝對方；唐代牛李之爭，宋代王安石變法前後，都曾有人編造一些僞書攻擊對方，這是出於當時政治鬥爭的需要。但更多的僞書，則是書賈爲了牟利，蓄意作僞，濫刻濫印，流毒至廣，這種風氣，明代後期最爲突出。另外，也有一些僞書，出於好事者所爲，玩世不恭，自欺欺人；有的是隨意拾補，冒名湊數，書中混入僞篇，這也是原因之一。唐代王建的《宮詞》，其中就頗多誤入他人的作品。胡介祉校刊王司馬集序曾指出：「宮詞自宋南渡後逸去其七，好事者妄爲補之。」胡震亨《唐音統簽》指出《錢仲文集》中的〈江行〉絕句一百首，爲錢起的孫子錢珝的詩，誤入其中。現代的一些唐詩選本，已據此作了訂正。偶有誤入，自不可作爲僞書論列，不過隨文述及而已。

有作僞則必有辨僞，去僞存眞，恢復古籍的本來面目，這是歷史發展的必然。我國的辨僞歷史，至少可以上溯到西漢時期。《漢書・藝文志》諸子略雜家類《大禹》三十七篇，注云：「傳言禹所作，其文似後世語。」道家類《文子》九篇，注云：「老子弟子，與孔子並時，而稱周平王問，似依托者也。」小說家類《務成子》十一篇，注云：「稱堯問，非古語。」漢志對上述幾種著作，或驗之其語，或徵之其事，從而指明其爲僞作，這對後世的辨僞工作有很大的啓發，樹立了良好範例。北齊顏之推在他的《顏氏家訓・書證》篇裡，列舉了不少古籍內容中的矛盾現象，如謂「《世本》左丘明所書，而有燕王喜，漢高祖」「《列仙傳》劉向所造，而贊云：『七十四人出佛經』」，顏氏雖未指明這些應屬僞書，但他認爲已經過後人竄改。至唐代，辨僞的風氣，日趨興盛。國家頒布的《五經正義》已懷疑《史記》所載孔子刪詩之說。對於《竹書紀年》、《國語》、《世本》、《管子》、《家語》等書都產生懷疑，有所議論；劉知幾作《史通》，其〈疑古〉、〈惑經〉、〈申左〉諸篇對古書、古史提出了許多大膽的懷疑；柳宗元作〈辨列子〉、〈辨文子〉、〈論語辨〉、〈非國語〉等等，這些對宋代疑古辨僞風氣的盛行，都產生了積極的影響。朱熹是宋代疑古辨僞、衝鋒陷陣的主將，他有很多考辨僞書的話，散見於他的《文集》和《語錄》裡。元末明初，宋濂作《諸子辨》，所辨諸書，凡四十又四，但他畢竟還是站在「衞道」的立場說的，其眞正的目的並不全是爲了辨僞求眞。明代胡應麟作《四部正譌》，內容從諸子擴大到經、史、子、集四部，論及的書有一百〇四種，而且完全是爲了辨僞而作的。他把僞書分成二十類，在卷末又提出審核僞書的八條具體方法，有的現在還有參考意義。清初姚際恒作《古今僞書考》，把當時人們不敢輕議的「經書」如《易傳》、《孝經》、《爾雅》都放在「僞書」裡面加以考辨，雖論證不夠詳博和精審，有時還以文辭的工拙來判定眞僞，是其不足之處，但他大胆辨僞的精神，在當時是有發聾振聵作用的。今人顧實作《重考古今僞書考》、黃雲眉作《古今僞書考補證》，對姚書多所訂補。馬敍倫《列子僞書考》是一部很有學術價値的辨僞學專著。張心澂作《僞書通考》，把前人寫過的一些辨僞專著和論文，摘要整理而成，間附按語，闡明己見。此書一九五七年修訂本收錄考辨的書達一千一百〇四部，是目前一部常用的辨僞工具書。自宋濂的《諸子辨》到張心澂的《僞書通考》，標誌着近代古籍考辨工作的進展。但與今天我們國家對古籍整理的要求和大規模科研工作的需要，還有着很大的距離，有待我們進一步努力，創造更大的成績。

學習前人辨僞工作的經驗，結合點滴見聞，總結幾點，作爲進行考辨的參考，未知是否有當：

(一) 查明傳授源流

目錄學與辨僞的關係非常密切，通常一些提要式的書目裡，常有關於古籍考辨的記載。唐智升《開元釋教錄序》明確提出：「夫目錄之興也，蓋所以別眞僞，明是非。」在佛經目錄中，有的還專門列有「疑經錄」以別眞僞。史書（包括地方志）中的〈藝文志〉或〈經籍志〉裡，不但可以看出各個朝代藏書的情況，學術發展的概貌，更可以從中考察某一部書的流傳過程。我們利用各種書目提要，查明書籍的傳授源流，版刻特點，對辨別僞書，將有很大的參考價值。

現存的《昭明太子集》題梁蕭統撰，實不可信。《四庫全書總目提要》（下簡稱《提要》）從查考此書傳授源流入手，謂「《梁書》本傳稱統有集二十卷，《隋書・經籍志》、《唐書・藝文志》並同，《宋史・藝文志》僅載五卷，已非其舊。《文獻通考》不著錄，則宋末已佚」，發覺此書源流有重大疑點，乃進而重核其內容。書爲明嘉興葉紹泰刊本，凡詩賦一卷，雜文五卷。賦每篇不過數句，蓋自類書採掇而來，詩中有數首見於《玉臺新詠》爲梁簡文帝詩，由於當時稱簡文帝爲皇太子，輾轉稗販，故而誤作昭明。沿着版本源流的線索，進而找出了致誤的原因所在，這的確是考辨古籍的一個值得借鑒的方法。《提要》使用這一方法發現的僞書，例不勝舉。如題名岳珂所作的《棠湖詩稿》，雖其本爲鮑氏知不足齋所刊，但「宋以來公私書目悉不著錄，不知其所自來。珂序亦無年月」，《提要》從這些疑點追踪查勘，進而分析其書的內容史實和文字風格，疑爲僞書。對題名吳琯所作的《蕉窗薏隱詞》，《提要》也是從「諸家書目皆不著錄，諸選本亦絕不及之」進而考出其詞係皆劉基之作，書賈冒題吳琯，售僞漁利。梁啓超《中國歷史研究法》言鑒別僞書之公例，謂「其書前代從未著錄，或絕無人徵引，而忽然出現者，什有九皆僞；其書前代雖有著錄，然久經散佚，乃忽有一異本突出，篇數及內容等與舊本完全不同者，什有九皆僞。」也都是從查考史志目錄入手的。胡應麟《四部正訛》所謂「核之《七略》以觀其源；核之群志以觀其緒」都是同一個道理。

(二) 查核歷史事實

辨僞工作應該是文獻學和史料學的一個重要內容。缺乏史料固然得不出結論，但如果史料不眞實，得出錯誤的結論，後果將更加嚴重，所以弄清事實，是一切科學研究的前提。故考辨古籍，首先必須辨清史事的眞僞。

《白氏長慶集》其中混有僞篇，前人早已致疑，晁公武《郡齋讀書志》，對集中〈聞李崖州貶〉二絕句，進行考核，謂「以唐史考之，崖州貶時，樂天歿將逾年。」當然絕無可能出於白氏之手。《揚子雲集》（漢揚雄撰）中有〈潤州箴〉，謂「洋洋潤州，江山秀遠，蔣廟鐘山，孫陵曲衍。江寧之邑，楚曰金陵，吳晉梁宋，六代都輿。」葉大慶《考古質疑》指出「雄生西漢之末，安得預有『吳晉梁宋，六代都輿』之語哉？」則此文即非僞篇，至少後人已有所增益。

《列子》之爲僞書，已爲學術界所公認，馬敍倫《列子僞書考》是考辨《列子》爲僞書的集大成的專著，其書舉二十事辨之，有不少都是從考辨史料立論的。如謂：「〈周穆王〉篇有駕八駿見西王母事，與《穆天子傳》合，《穆傳》出晉太康中，列子又何緣得知？」「〈周穆王〉篇言夢，與《周官》占夢合，《周官》漢世方顯」，「〈湯問〉篇與《山海經》同者頗多，《山海經》乃晚出之書」，列子更無從寓目。上述這些史料的先後早遲，都可以看出僞作者剿竊之迹。據此作出的結論，是最有說服力的。

㈢查考作者生平

古人所作傳記、碑銘之類，對其人的生平事迹，重要著述，言之惟恐不及，因而考辨古籍的眞僞，查核作者生平的傳記，也是一個重要途徑。《提要・史部・編年類存目》有題名李燾的《續宋編年資治通鑒》十八卷，而《宋史・藝文志》和李燾本傳惟載燾有《續資治通鑒長編》而無此書之名，此書體例與《宋史》全文約略相似而闕漏殊多。故《提要》判斷爲「當時麻沙坊本，因燾有《續通鑑長編》，托其名以售欺」的贋品。

《斜川集》十卷，題宋蘇過撰。因書中內容與作者時代經歷不符，暴露出作僞的痕迹，「考晁說之所作蘇過墓志，過卒於宣和五年，此集中所稱，乃嘉泰、開禧諸年號，以及周必大、姜堯章、韓侂胄諸人，過何從見之？其中所指時事，亦皆在南渡以後，尤爲乖剌。」清代編《四庫全書》的時候，發現劉過《龍洲集》所載之詩與此盡同，所以《提要》判斷此書

「蓋作僞者因二人同名爲過，而鈔出冒題爲《斜川集》以漁利耳」。從上述的例子看來，凡作者時代和書的內容有明顯出入，或作者傳記根本未載曾有此種著作，就有必要引起注意；如果發現書中所載事迹，明顯在作者時代之後者，可斷其書爲僞，或者雜有部分僞篇。

(四) 分析作品內容

這個方面涉及的範圍比較廣，書中的歷史事實自然應包括在內，但上文已有專項論及，這裡且就作品所表現的學術思想、文體、文法、語言文字（包括特定時代的方言）以及一些稱謂、提法等等，作爲考辨古籍眞僞的參考條件來略加討論。

任何一個時代的學術思想都有它的時代特徵，意識形態是由社會經濟基礎決定的，要掌握這些特點首先必須對當時的社會形態有比較深入的了解，從而掌握這一時代學術思想的基本特徵，把作品納入這個特定範疇之中，分析比較，找出其相符或矛盾之處，以爲判斷眞僞的參考，因爲考慮到有些原著，其產生時代固然很早，但經過寫定、流傳、增補、潤色，難免與原貌有所出入，我們却不能據此就斷爲僞書。至於各個時代的文體、文法、文字風格等等，就顯得具體一些，經過比較研究，不難辨其異同。如舊詩中的「排律」一體，唐、宋、元皆未有，直到元末楊士宏選《唐音》，方才以「排律」標目，明初高棅選《唐詩品彙》，仍之不改，便一直沿用下來。《孟浩然集》標有「排律」之體，故《提要》認爲已有誤入，斷非原本。《山谷精華錄》題黃庭堅撰，任淵編，而其書列有五言排律之名，作僞之迹顯而易見，其屬於「僞題編者」亦已毋庸置辨。這些都是就文體方面判斷古籍眞僞的顯例，至於從語言、文法等方面考辨古書取得成果的莫如瑞典人高本漢《左傳眞僞考》，高本漢把《左傳》和《論語》、《莊子》、《國語》等書比較，發現《左傳》所用的方言虛字和代詞，與其他古書不同，與魯國其他書籍也不一樣，《左傳》所用非魯語，因此他認爲《左傳》非孔子作，亦非孔門弟子作，也不是司馬遷所謂「魯君子」作的。他推測當是另一人或他的同一學派中數人所作。當然這也僅僅是一種推測，但却有一定的根據。

至於古書中出現的稱謂、專用名詞以及某些特定的提法，往往是考辨眞僞最好的線索。馬敍倫《列子僞書考》曾指出「〈周穆王〉篇記儒生治華子之疾，儒生之名，漢世所通行，先秦未之聞也。」僅僅抓住「儒生」這一個名稱，就把僞作《列子》的時代上限，限制在漢代以後了。由此可知，凡古籍中出現後代的人名、謚號、地名、朝代名，則其書即使並非全僞，至少也經過後人的竄改或增益，這應該是可以斷言的了。至於過去有些人僅憑所謂其書「內容淺陋」或「文體不古」斷爲僞作，具體掌握起來，却缺乏嚴格標準。柳宗元〈辨列子〉謂「其文辭類《莊子》，而尤質厚，少僞作，好文者可廢耶？」宋濂《諸子辨》誤認《鬻子》不是僞書，理由只是「其文質，其義弘」，宋濂《諸子辨》又謂「（《列子》）若書事簡勁宏妙則似勝於周（《莊子》）」，都是單從文辭着眼，最後竟被作僞者蒙混過去。

(五) 研究版刻特徵

我國的刻書事業，始於中、晚唐，而唐、五代刻本流傳下來的已極爲少見。宋元版書，現在已經是珍本了。宋元以後出現的僞書，除了考核它的內容史實以外，一般還可以結合版刻特徵來進行判斷，上文提到僞題蘇過所撰的《斜川集》，在版本上面也露出僞作痕迹，如每頁補畫烏絲，染紙作古色，冒充宋槧，還僞鐫汲古閣毛子晉藏印於卷末。僞題任淵所編的《山谷精華錄》，稱宋元祐間版刻，又說失其版心，顯然是冒充宋版，並且集中詩文已有崇寧年間作品，何以能預刻於元祐之時？眞是矛盾百出！但對於這樣一部僞書，向來藏書之家珍爲秘籍，以名取之，不核其實。這是很値得引爲教訓的。

對於宋元以來各個時代的版刻特徵，通行的一些版本學的專書，多有論及，我們從各個時代刻書的版式、書口、行款、字體、墨色、紙質，以及有無牌記、諱字等等，進行鑒別，多實踐，多接觸，從中自可摸索出一些規律出來，尤其是紙色、墨香、字體刀法等等，只有經過長時間的實踐，才能眞正領會，得心應手，辨明眞僞。這裡必須一提的是遇到特殊情況如何辨別？比如說元刻本多黑口、趙孟頫字體，但也有例外，如杭州大學圖書館所藏的《玉海》，就不是黑口而是白口，紙質白而厚，在元刻中是稀見的；而明初刻本，自洪武至成化、弘治，多黑口趙體，蓋其時仍承元時風氣。遇到這類情況，就要結合書籍內容來考核判斷了。另外還可以參考一些鑒別版本的專書和論述版刻的筆記雜考，如明葉盛《水東日記》、屠隆《考槃餘事》以及《善本書經眼錄》、《宋元行格表》，記載版刻的目錄、善本書的「集錦」、「書影」等等，以幫助識別。總之，從版本方面發現古籍的疑點，亦有助於進一步考辨其書的時代和眞僞。

史料考辨不能單憑孤證立論，上述的幾種考核方法，最好能夠綜合運用，多掌握一些線索和根據，作出的結論，才可望比較正確，或者可靠性大一些。另外，必須認眞鑒別眞僞的程度，是全僞還是混有僞篇，是半眞半僞還是眞僞雜糅難以區分，其僞作部分是否出於後人之所增益等，都必須盡可能作出實事求是、恰如其分的判斷，寫成提要，便利文史工作者和古籍閱讀者用作參考。

（原刊《文獻》第十二輯，一九八二）

十、《百部叢書集成》評

商務印書館編輯的《叢書集成初編》從一九三五年開始分册出版，迄今已半個多世紀。在這漫長的歲月裏，這部大型叢書已經起了並且繼續在起着霑溉學林，便利讀者的作用。可惜當時沒有出齊，甚至闕印多少亦缺乏準確的統計數字，一些辭書，多含糊其詞，說它「約出十分之九」❶，這與實際相差很大。台灣藝文印書館從七十年代着手編印《百部叢書集成》，所選一百部叢書與商務版《叢書集成初編》完全相同（只另增《經典集林》一部，共一百零一部）全書四千餘子目，現在已經全部出齊，由排印改爲影印；各部叢書，採用線裝，分函裝訂。編者吸收了當代文獻研究成果，重視版本更新，抽調和增補了一些古本、足本、校本和精刻本，訂譌正誤，刪重補缺，做了大量的整理工作，並編有分類目錄和書名、作者索引。另外，在每部叢書之前，編有總目，總目中每種書的下面，列「說明」一項，敍述所採版本以及整理情況，頗便查考。與《叢書集成初編》相較，青出於藍而勝於藍，謂之踵事增華，後來居上，殆非溢美，「睹喬木而思故家，考文獻而愛舊邦」❷，這部大型叢書的影印發行，爲古籍整理工作，創造和積累了很好的經驗，對於宏揚祖國傳統文化，促進兩岸文化交流，也是富有積極意義的。

改爲以叢書爲綱，改排印爲影印，改平裝爲線裝，改十進分類爲四部分類。前兩項影響尤大，遂使其書頓然改觀，面貌一新。

《百部叢書集成》在編印形式上作了很大的更改，把《叢書集成初編》的以子目爲綱，

一、各部叢書，影印存眞

㈠ 以叢書爲綱，能保持每部叢書的特點和完整

《百部叢書集成》所選，包括綜合性叢書八十部、專科性叢書十三部（新增《經典集林》已計入），地方叢書八部。

南宋俞鼎孫、俞經同編的《儒學警悟》，輯成於宋嘉泰元年（一二〇一），在武進陶氏刋刻之前，一向只有鈔本流傳，從輯成年代看，應爲我國最早的叢書。左圭的《百川學海》刻於宋咸淳九年（一二七三），晚於《儒學警悟》七十二年，是我國雕版最早的叢書。南宋刋印的《武經七書》、元代刋印的《濟生拔萃》，都是稀見之本，宋槧元刋，彌足珍視。其他明清叢書，亦各有特點：有以校勘精審著稱者：如乾隆時盧文弨的《抱經堂叢書》、畢沅的《經訓堂叢書》、盧見曾的《雅雨堂叢書》、嘉慶時吳騫的《拜經樓叢書》、孫星衍的《

岱南閣叢書》、《平津館叢書》以及阮元的《文選樓叢書》，頗能反映乾嘉學術研究的成就，有以收集罕見之本著稱者：明代叢書如《古今說海》、《范氏二十一種奇書》、《今獻彙言》、《稗海》、《寶顏堂秘笈》、《漢魏叢書》等，保存了許多罕見之書，可惜有些並非全帙。清代前期以收罕見書見稱者，首推鮑廷博《知不足齋叢書》。其〈凡例〉云：「是編諸書有向來藏弆家僅有傳抄而無刻本者；有時賢先輩撰著脫稿而未流傳行世者；有刻本行世久遠舊版散亡者；有諸家叢書編刻而譌誤脫略未經勘正者，始為擇取校正入集。」傳世較多的書，一概不收。嘉慶中，顧修刻《讀畫齋叢書》，所刋皆知不足齋所未收者；道光中，蔣光煦刻《別下齋叢書》、《涉聞梓舊》；潘仕成刻《海山仙館叢書》、伍崇耀刻《粵雅堂叢書》皆倣鮑氏之例，以刋刻罕見本為主。高承勳的《續知不足齋叢書》、鮑廷爵之《後知不足齋叢書》，雖刻意倣效，然流傳不廣。有以廣羅舊籍著稱者：明代叢書中，《顧氏文房小說》多以宋本翻雕，清人黃丕烈得其中《開元天寶遺事》一書，已視為「罕秘」之本。吳琯校刋的《古今逸史》在明初諸叢書中亦稱善本。明末毛晋刋《津逮秘書》，清初曹溶刋《學海類編》，雖抉擇未精，然於舊籍古本，收羅頗廣。清乾隆中所輯的《武英殿聚珍版叢書》，大部份是從《永樂大典》中輯出來的宋元著作。嘉慶中張海鵬據《津逮秘書》增為《學津討原》，所收皆本原書，無一刪節。其後張氏又廣搜舊籍，編刋《墨海金壺》，據其〈凡例〉，自稱悉本四庫所錄，宋刻舊鈔本占十之二三。道光間郁松年《宜稼堂叢書》，所刻皆元明舊本中之尤善者，咸豐間胡珽《琳琅秘室叢書》亦多舊本。光緒間陸心源《十萬卷樓叢書》所據多宋槧元刊。至于覆刻宋元舊本最爲精善者，首推黃丕烈之《士禮居叢書》，黃氏以家藏珍本，延顧千里爲之校讎，影刻之精美，幾可亂眞。黎庶昌之《古逸叢書》，由楊守敬主持校刻，東京初印之美濃紙本，幾與宋槧元刊等視。蔣鳳藻校刋之《鐵華館叢書》，除影宋本外，皆康熙精刻，雖爲覆版，不下眞跡，都是清刻本中之精品。

專科叢書方面，收有經學、小學、史地、目錄學、醫學、藝術、軍學等七類，亦富實用價値。清代學者每喜將自己的着作，刋入叢書，這類自刋之本，尤爲精審可靠。上述這些叢書的特點，早爲學術界人士所熟知。今按原書影印，保持了每部叢書的特點和完整性，對於行家查閱，只會增加方便。有些人即使不太熟悉這些叢書，要用時，根據各部叢書的總目和全書所附的分類目錄及書名，作者索引，按圖索驥，仍舊可以很快找到。

所收百部叢書，亦有極少數未必盡善盡美者，如陳璜的《澤古齋重抄》，係據張海鵬《借月山房彙鈔》殘帙，釐訂增補而成，與《借月》實爲一書。其他專科叢書之遴選未當者，亦頗有之，此固《叢書集成初編》選目時考慮未周，與《百部叢書集成》無涉。至於少數幾部叢書使用率很低，大醇小疵，則亦無傷於大體，存而不論可也。

(二) 影印最能反映版刻特徵

影印反映原書面貌，遠非排印所能比擬。排印把文字刋印清楚，只不過是刋印古籍的最低要求。研究古籍版本，重視刻本的行款、字體、刀法，還講究區分黑口、白口、魚尾、邊欄的形式和特徵以及字體的避諱和缺筆等等，宋版版心往往記有刻工姓名，宋槧元刊，多記行格字數，有的還刻有牌記。若將文字重行排版，這些版刻特徵，都將喪失殆盡。只有採用影印，能夠保持古書的風貌。

茲將民國武進陶氏據宋咸淳本影刊宋代左圭輯《百川學海》序（寫刻）的書影一頁，附印於下：

自宋俞鼎孫儒學警悟一書出意園遺笈江陰繆藝風詫為叢書之祖鄭重付湘既校刋行世矣平心論之俞氏雖綜輯諸書究係專收時代近接學派相同之作且另編目錄統排卷次茲非若選各書如宋儒鳴道集合編濂溪涑水橫渠諸書之比（此書有傳本詳藝風堂文續集）與後來叢書不分派別不限年代者猶有不同（宋志列於類事類最得其實）若求其蒐采淵宏體例完備於學術得融貫之益於原

《古逸叢書》中的《影宋紹熙本穀梁傳》在何休序文之後刻有金澤文庫印，頁末又有日本東京 木邨嘉平刻長形印記，若改用排印，這些特徵將無法反映出來。再如明末毛晉據胡震亨《秘册彙函》增刻爲《津逮秘書》，若須從《津逮秘書》中鑒別孰爲《秘册》殘版，孰爲毛晉增刻，可以根據版式辨認。《四庫全書總目》說：「版心書名在魚尾下，用宋本舊式者，震亨之舊；書名在魚尾上，而下刻『汲古閣』字者，爲晉所增。」若改用排印，便無法辨認原版和新增之書。因此，對於重印古籍來說，自以影印爲最佳選擇。北宋版本，傳世無多，其失傳之書，賴有元明人翻刻，轉有出南宋本之上者。元明乃至清代一些影宋、翻宋的著名叢書之所以可貴，正在於它保存了宋版古書的原貌。從這一點看，影印的《百部叢書集成》的版本價值則又不是排印的《叢書集成初編》可以同日而語的了。

影印還有一個很大的優點，就是能夠避免重新雕版的差錯。書經重刻，郭公夏五之訛，在所難免。古本、原刻本、名家校刻本之所以可貴，就是因爲少有誤字。從事古籍校勘的人，最重底本。即以《四部叢刊》《四部備要》而言，論者或有軒輊，若用作校勘底本，則無不取《叢刊》而捨《備要》，影印本爲古籍校勘工作者所重視，不辨自明。

影印本在古籍鑑定方面，也還有它的局限，就是它對於古籍的紙質、墨色以及雕刻的筆鋒神韻，都很難表現出來，只能取其版式字體形似而已。但是影印本比原本易得，能爲那些沒有條件接觸善本古籍的人，提供一些版本資料和學習鑑別的機會，如果能夠時常閱讀，注意版式、字體的特點，以後如能看到原書，再進而研究紙質、墨色以及影印難以表達的其他特徵，對鑑定古籍版本，必將大有稗助。

㈢ 分函裝訂，洋洋大觀

《百部叢書集成》採用線裝形式，保持古書的風貌，並採用天藍色的布料紙版，製成「函套」，書型大小一致，十分整齊，古雅精致。千百函書，一函函陳列在書架上，眞是巍巍書城，洋洋大觀。

由於各部叢書的子目多少不同，卷帙亦有差別。少的一部叢書自爲一函。更少的兩部叢書合爲一函，如《三代遺書》和《兩京遺編》兩書合爲一函；卷帙多的叢書，一種叢書可有數十函，如《粤雅堂叢書》竟有八十四函之多。《百部叢書集成》的四部分類目錄和書名、作者索引，亦合爲一函，附全書以行，頗便查檢。

以前，商務印書館影印流傳的《四部叢刊》及其《續編》《三編》，是由張元濟就涵芬樓和其他藏書家的藏書中，選擇宋元舊刻、明清精刻、鈔本、校本和手稿本，輯集而成的，故以版本價值見稱於世。而與《四部叢刊三編》差不多同時編成的《叢書集成初編》，同出於商務，所選叢書百部，淘汰重複子目達三分之一，多取較好的底本排版，而始終未能以版刻精善見重。究其原因，殆爲未曾影印之故。今《百部叢書集成》選擇最佳底本，影刊行世，與原來的排印本比較，相去奚止倍蓰。張元濟曾稱贊《四部叢刊》有七善：所收皆四部中家絃戶誦之書，一善也；仍存原本，未加剪裁，二善也；所刊類多秘笈，三善也；所求之本，具於一編，省事省時，四善也；册小字大，册小則便庋藏，字大則能悅目，五善也；版型紙色，斠若畫一，列之清齋，實爲精雅，六善也；議價不特視今時舊籍廉至倍蓰，即較市上新版，亦減之再三，復行預約之法，分期交付，使購者舉重若輕，七善也❸。《百部叢書集成》是否實行預約付款，不得而知，其較購買今時舊籍或市上新版，價格爲低，殆無疑義。故以上所舉七善，《百部叢書集成》咸能具備，且收書範圍不限于正經正史，遠較《四部叢刊》範圍廣泛而又切於實用，而且規模龐大，其中保存稀見之本亦當較《四部叢刊》爲多，是猶有八善九善焉矣。現代能將這自宋至清的百部叢書四千餘子目完整地影印下來、留傳下去，則是一件具有深遠意義的事。數百年而後，這批影印善本，安得不價值連城也哉！

二、增收千種，使成完璧

《叢書集成初編》約收書六千種，二萬七千餘卷，汰其重複，應存四千零六十三種，總約二萬卷。當年未印之書，今據闕目核算，共計九百五十一種，約占全書四分之一弱，實印三千一百十二種，占四分之三強。（據台灣新文豐出版社《叢書集成新編》統計。）今《百部叢書集成》的編印，已將九百五十一種闕書全部補齊，連同這次新增的《經典集林》，共計收書四千零九十三種，二萬卷有餘。

所增補的近千種闕書中，頗有一些傳本較少而富有參考價值的專著。諸如南宋陳仁玉的《菌譜》，敘述浙江台州一帶十一種菌的生長時期、形狀和色味等，是我國研究食用植物的早期著作；明代葉子奇的《草木子》，內容涉及面較廣，其中保存了一些有關元末義軍的資料。如對徐州韓山童、蘄州徐貞一、陝西金花娘子、江西歐道人、山東田豐等，均有記載。明代朱明鎬《史糾》，論諸史「書法」及事實的牴牾，上起《三國志》，下迄《元史》，每史各爲一編（惟缺《晉書》和《五代史》）。清初蔣平階撰《東林始末》、吳偉業撰《復社紀事》，雖對當時封建王朝的腐朽統治，揭露不夠，但未嘗不可作爲晚明歷史的參考史料。谷應泰《明史紀事本末》東林部份幾與蔣平階《東林始末》有關章節雷同，疑或取材於此。明代稗史姚福的《青溪暇筆》，記宮廷之事甚詳，去年筆者考證《永樂大典》嘉隆副本曾用作參證❹，當時找不到刻本還是用了《景印元明善本叢書十種‧今獻彙言》中的本子。所補闕書之中，地理方面也頗多稀本，孫星衍所輯《括地志》八卷，最稱佼佼。《括地志》是唐代的地理著作，原書五百五十卷，又序例五卷，題魏王李泰撰，實出于蕭德言等人之手。序略述歷代沿革和唐初都督府區劃，以後依唐時制度，分敘各州及山川古跡等，多根據史傳，並援引六朝輿地書籍以爲佐證，唐宋著作對此書內容多有稱引，其後散佚失傳。孫星衍從《初學記》等唐代類書中輯出這幾卷，始可略窺梗概。南朝梁代宗懍的《荊楚歲時記》專記荊楚歲時節令風物故事，自元旦至除夕。今存一卷，凡二十餘條，保存了當地一些古代的神話和傳說，也可看作地方風俗專著。宋代范成大的《桂海虞衡志》是研究宋代廣南地區（今廣西一帶）風土、物產、民族狀況的重要著作，內容眞實，文字淸新，歷來推爲名著。周密的《癸辛雜識》、《武林舊事》、《志雅堂雜鈔》都是記載都會的人物、瑣事、見聞、雜言等著作。其中《武林舊事》對南宋都城臨安的民間說唱藝人和樂工的姓名以及手工業、物產情況等記載頗詳。再如元代周達觀的《眞臘風土記》，是研究元朝同眞臘交通關係的重要史料。作者在元貞元年（一二九五）隨元使赴眞臘訪問，至大德元年（一二九七）返國，因記親身見聞，以成此書。眞臘即今之柬埔寨。《元史・外國列傳》無眞臘條，可補史書之缺。明代費信的《星槎勝覽》，原是作者跟隨鄭和通使西洋，前後四次，遍歷諸國，以所聞見，撰爲此書，據其序文所言，成書當在明正統元年（一四三六），爲研究當時亞非地理和中西交通關係的重要參考資料。上述諸書，其中有幾種當代先後有人整理校註，但在數十年前，往往還是稀見之本。

所補闕書之中，屬於詩話、詩文評的，如宋葉夢得《石林詩話》、吳可《藏海詩話》、黃徹《䂬溪詩話》、朱弁《風月堂詩話》、明代都穆《南濠詩話》、徐禎卿《談藝錄》、游潛《夢蕉詩話》、淸代趙執信《談龍錄》等；屬於醫學方面的：如晉代王叔和《脈經》、皇甫謐《鍼灸甲乙經》，宋代王袞《博濟方》、金代李杲《此事難知》和《潔古老人珍珠囊》、劉守眞《黃帝素問宣明論方》、元代王好古《湯液本草》等等，不乏可傳之作。在半世紀以前，一般人尙不易得見。醫學方面的幾種，至今還是中醫院校講授中醫方劑學和中國醫學史的重要參考書。

《叢書集成初編》列目缺印之書，牽涉範圍很廣。筆者曾作過統計，百部叢書之中，列目缺印之本，竟涉及九十部叢書，祇有《儒學警悟》等十種叢書完好無缺[5]。列有闕書待印的九十部叢書中，最少的只缺一種兩種，多的甚至缺數十種。如《龍威秘書》缺三十種，《粵雅堂叢書》缺三十一種，《知不足齋叢書》缺三十六種，《函海》亦缺三十六種，《學津討原》缺三十七種，《借月山房彙鈔》缺四十四種，《寶顏堂秘笈》缺四十九種，《說海》缺五十一種，《藝海珠塵》缺五十八種，而《學海類編》甚至缺七十七種之多，缺書率最高。把涉及九十種叢書中的九百多種缺書增補無遺，而且都選擇了最佳版本，其繁重程度，自不亞於新編一部大型叢書。

三、更換底本，力求精善

《四部叢刊初編》民國八年（一九一九）初次影印凡三百五十種，後來重印曾更換二十一種同書的更好版本，可見其原本亦未必咸能盡善盡美。重印時更換較好的底本，這樣做只能使原書精益求精，也正是我國叢書編纂的優良傳統。《百部叢書集成》也曾根據《叢書集成初編》的原本，作了比較全面的覆核，增補和更換。有關這些調整的情況都在每部叢書總目的「說明」項下作了詳細的記載。只是這些記載，是包括整部叢書四千餘種子目撰述的，只有把全部記載內容與《叢書集成初編》逐項比核，才能分辨出哪些工作是《叢書集成初編》

當初已做的，哪些工作是《百部叢書集成》編者此次改作的。筆者不憚其煩，窮數月之力，逐項核對，頗有所獲，因此撰寫本文，闡幽發微，以彰其功。

《百部叢書集成》關於更換底本方面所做的工作，有下列數項：

(一) 採用古本

自發明雕版印刷以來，傳世的刻本書籍，五代的刻本已如星鳳，現在通常以宋本爲最早且最珍貴，其次是元本，然亦不可多見。清人嚴可均說：「書貴宋元本者，非但古色古香，閱之爽心豁目也；即使爛壞不全，魯魚彌望，亦仍有絕佳處，略讀始能知之❻」。宋元刻本雖有誤字，仍然可貴，因爲它保持了原貌，其錯誤尚可按迹尋找。正如顧廣圻所說：「宋槧之誤，由乎未嘗校改，故誤之迹往往可尋也❼」。顧氏以校讎名家，所言正是他的經驗總結。近人陳乃乾說：「嘗謂古書多一次翻刻，必多一誤。出於無心者，『魯』變爲『魚』，『亥』變爲『豕』，其誤尚可尋繹。若出於通人臆改，則原本盡失。宋、元、明初諸刻，不能無誤字。然藏書家爭購之，非愛古董也，以其誤字皆出於無心，或可尋繹而辨之，且爲後世所刻之祖本也……古人眞本，我不得而見之矣；而求其近乎眞者，則舊刻尚矣❽」。他們共同的認識是：宋元刻本、舊刻本，未經翻刻，又未遭通人臆改，因而能保持原貌，錯誤較少，是以可貴。歷來講究版本的人，大都重視古本、舊本，原因就在這裏。《叢書集成初編》在選擇底本方面，已經很有成績，凡一書有多種版本都選擇最早最佳的本子，但有些地方，仍然還有考慮未密之處，《百部叢書集成》爲此做了不少補苴更易的工作。茲舉數例於下：

楊伯嵒《九經補韻》二卷，在百部叢書中有六部叢書收有此書。《百川學海》、《古今逸史》、《學津討原》爲楊氏原著；《汗筠齋叢書》、《粤雅堂叢書》、《後知不足齋叢書》爲錢侗考證本。《叢書集成初編》以《汗筠齋叢書》本爲底本，《百部叢書集成》認爲各本以《百川》爲最先，故據以影印入《百川學海》之中，並附《後知不足齋》鮑氏校正、錢侗考證本於後。

張寧所撰的《方洲雜言》是文學瑣談方面的書，所選百部叢書中，《百陵學山》等叢書中均有此書。《叢書集成初編》以《學海類編》爲底本，《百部叢書集成》認爲《寶顏》本在前，改用此本影印入《寶顏堂秘笈》之中。

朱或所撰的《萍洲可談》，所選百部叢書中《百川》《寶顏》所收皆一卷，《墨海》《守山》所收皆三卷。《叢書集成初編》用《守山閣叢書》本爲底本，《百部叢書集成》認爲《百川》最早而且校勘精審，遂據以影印於《百川學海》之中並附《守山》本三卷及錢氏校勘記於後，保存了兩種本子的原貌，既存古本，亦同足本。

(二) 重視足本

明以前叢書時代雖早，但多不足之本。崇禎間毛晉刊《津逮秘書》，所收全帙爲多。此後學者刻書漸重足本。《叢書集成初編》收清刻叢書七十多部，雖間有翻刻前代叢書刪節摘鈔之本，然畢竟足本爲多，保證了這部大型叢書的質量，然亦有當時未及覺察而誤採節本者，今《百部叢書集成》編者凡有發現，皆更換爲足本。最突出的是《金志》和《遼志》，《叢書集成初編》收入《汗筠齋叢書》皆爲一卷本，《金志》僅錄初興本末及雜錄制度等十六篇爲一卷，《遼志》僅錄本末制度及諸雜記三十六條爲一卷。是皆出自《逸史》節本。《百部叢書集成》分別改用原書《大金國志》全帙四十卷、《契丹國志》全帙二十七卷替入，遂皆爲足本。

又如《一切經音義》，《叢書集成初編》收入《海山仙館叢書》用的是玄應二十五卷本，《百部叢書集成》改用慧琳百卷本。玄應《音義》，慧琳收採甚備，故即以慧琳《音義》並連同希麟《續音義》十卷代入，並附陳作霖《一切經音義通檢》於後，堪稱足本。

《叢書集成初編》在《靈鶼閣叢書》中收有《士禮居藏書題跋記續》二卷，闕漏特甚。《百部叢書集成》收集各家輯本凡十三卷替入，並在《靈鶼閣叢書・士禮居藏書題跋記》下加「說明」稱：「……《靈鶼閣叢書》所收《士禮居藏書題跋記》僅有繆荃孫之《續編》，其正編爲滂喜齋潘祖蔭所輯刊，未收入《滂喜齋叢書》中。金陵書局復將繆氏續輯之《再續記》並正、續三刻彙編爲《蕘圃藏書題識》十卷、《蕘圃刻書題識》一卷，是爲最足之本，今即以此本替入，並補李文裿輯《士禮居藏書題跋補錄》一卷，丁初我輯《黃蕘圃題跋續記》

一卷，總題《士禮居藏書題跋記》。」所選百部叢書僅有此本，彌足珍視。

薛應旂《方山紀述》一書，所選百部叢書中，《百陵學山》、《寶顏堂秘笈》及《學海類編》均有此書。《叢書集成初編》用《寶顏》一卷本。《百部叢書集成》編者考證：《百陵》爲節本，《寶顏》作上下卷，惟《學海》本四卷，爲薛氏最後定本，亦爲最足之本，故據此本影印入《學海類編》之中。

皇甫枚《三水小牘》在百部叢書中，《古今說海》《十萬卷樓叢書》所收皆一卷本，《叢書集成初編》用《抱經堂叢書》所刊的二卷本，而《百部叢書集成》發現《雲自在龕叢書》校勘最善，雖亦二卷，然尚附有逸文一卷、附錄一卷，蓋爲繆荃孫校補之本，故用以替入影印。

《百部叢書集成》採錄各書，凡兩本內容全同，而一本有補遺、考釋、逸文之類的附錄，則必採用增有附錄之本。雖爲微末之差，對於讀者却有裨於實用。

在選用足本方面，《百部叢書集成》亦難免偶有失察之處。例如《文館詞林》殘本，《古逸叢書》收錄十四卷，《佚存叢書》收錄四卷，《粵雅堂叢書》複刻《佚存》，無所增益。《叢書集成初編》據《古逸》本影印，並以《佚存》之四卷附入，合共十八卷。而張鈞衡《適園叢書》收有《文館詞林》殘本二十三卷（一九一四年刻）其殘存卷數除覆蓋上述十八卷以外，尚多五卷。《叢書集成初編》較《適園》晚出，竟忽略未增；而《百部叢書集成》據他本增補之例甚多，獨於《適園》本《文館詞林》殘帙，竟亦失之眉睫。又如《疇人傳》四十六卷、續六卷、三編七卷。《叢書集成初編》據《文選樓叢書》刋正續兩編並增補諸可寶《三編》列目，未曾刻印；《百部叢書集成》據此補刻，仍收入《文選樓叢書》，這本來也無可訾議，惟其自稱「今特增補諸氏《三編》，庶成完璧[9]」，言外之意已成足本，殊不知《三編》之外，尚有黃鍾駿所輯之《疇人傳四編》並附華世芳《近代疇人著述記》。「完璧」云云，似亦未當。然此小疵，終無損於全局。

(三) 選用校本

研究古籍版本的人最重善本，而善本最初的涵義，多指讎校精善的本子。宋人葉夢得說：「唐以前，凡書籍皆寫本，未有模印之法，人以藏書爲貴，書不多有，而藏者精於讎對，故往往皆有善本[10]。」朱弁說：「宋次道（敏求）家藏書，皆校讎三五遍，世之藏書，以次道家爲善本[11]。」著名藏書家、目錄學家陳振孫還特別強調採用各本參照，求其精審，他說：「《元和姓纂》絕無善本。頃在莆田，以數本參校，僅得七八，後又得蜀本校之，互有得失，然粗完整矣[12]」。可見古人所謂善本，初時指的都是精校本。清末張之洞概括說：「善本非紙白版新之謂。謂其爲前輩通人用古刻數本，精校細勘付刋，不譌不闕之本也[13]」。同時他還把善本概括爲足本、精本、舊本三類，其中精本就包括精校本、精注本。錢塘丁氏《善本書室藏書志》編輯條例提出善本的四個標準，就是舊刻、精本、舊鈔、舊校四類，與張之洞的主張，可以互相補充發明，而且他們同樣都重視名家校本。

從學術研究說，學者通人的精校本，有時還勝過宋槧元刋。因此名家校本應爲善本中最受重視的一種。《百部叢書集成》的編者，在整理重印時，也特別注意選用較好的校本，以代替原書中的一般本子。

桓寬《鹽鐵論》曾見於多種叢書。《叢書集成初編》擬用《岱南閣叢書》的張敦仁校刻本並附張敦仁考證，列目未刻。張敦仁刻《鹽鐵論》是清代著名校刻本之一，選此無可厚非。但《百部叢書集成》的編者並不以此爲滿足，改以王先謙校本代入，仍舊影印於《岱南閣叢書》中。王氏校刻本不僅與張敦仁同樣用明涂楨翻宋嘉泰本爲底本校刻，並取張敦仁考證及盧文弨《群書拾補》所校並盧所未及者，一一散入正文之下，是較張刻爲尤善矣。

《黃帝內經太素》一書，《叢書集成初編》用袁昶《漸西村舍叢刋》中的楊上善注本。《百部叢書集成》編者認爲袁氏雖據舊鈔傳刻，而校訂未密，遂改用民國黃陂蕭延平校本替入影印，是爲此書最好的校注本。

再如同一版刻系統的叢書，或以原版爲優，或以翻刻重校本爲善，必須按照刻本，比勘論定。例如《秘册彙函》爲明代胡震亨所刻，後未刋竟遽毀於火，毛晋得《秘册》殘版，結合舊藏，增刻爲《津逮秘書》，清人張海鵬根據《津逮》，加以增删，重新編訂爲《學津討原》。《津逮》收書終於元代，《學津》迄明爲止。《秘册》收書二十四種，《津逮》收書一百四十一種，《學津》收書一百七十三種。三書的承繼淵源大致如此，這三部書之間，特別是在《津逮》與《學津》二者之間，相同的書較多。同是著名叢書，取捨從違，用此棄彼，是必須經過互核比校才能確定的。一般說來，《學津》後出，校刻多較前書清晰精審，故所取較多。例如《搜神記》《搜神後記》《大唐創業起居注》皆有《秘册》《津逮》《學津》以及其他多種版本。《叢書集成初編》對於《搜神記》《搜神後記》均用《秘册》本，《大唐創業起居注》用《津逮》本。《百部叢書集成》經過比較，將上述三書都改用《學津討原》本。然亦有棄《學津》而取《津逮》之例。如《洛陽伽藍記》，《叢書集成初編》原來擬用《學津》本，列目未刻，《百部叢書集成》經過比勘，認爲《津逮》「校刻精審」，遂改用此本影印於《津逮秘書》之中。上述諸例，可見《百部叢書集成》採用之本，都經過審愼挑選，非苟然草率從事者也。兩本互核，查對有無差異，這並不是一件輕而易舉的事，而從事古籍整理，就必須具有這樣的基本功。

(四) 兩本並存

凡兩書名同實異，或卷帙、內容尙有差別，或底本來源有殊，或編者、輯者、注者不同，《百部叢書集成》都採取並存的方式處理。述例於下：《荀子》二十卷，所選百部叢書中，《古逸叢書》《抱經堂叢書》《畿輔叢書》均有此書，《百部叢書集成》編者考證說：「《

畿輔》覆刻《抱經》本，《古逸》則影刻南宋台州本，雖《抱經》據北宋呂夏卿本又經盧文弨校勘，然校以《古逸》本，仍多遺漏，故分別影印於《古逸叢書》及《抱經堂叢書》中。[15]這是因爲底本來源不同，內容有別，因而兩本並存，而《叢書集成初編》只列《抱經》一本。

程大昌《演繁露》，所選百部叢書中，《儒學警悟》《學津討原》《唐宋叢書》均有此書。《學津》十六卷爲足本，故據以影印，《儒學》本雖祇六卷，然係叢書之祖，故併存於《儒學警悟》中。這是古本與足本並存。《叢書集成初編》列目未刻，目只列《學津》一本。

《六韜》（一名《太公兵法》）六卷附逸文。所選百部叢書中《武經七書》、《三代遺書》、《平津館叢書》及《漸西村舍叢刊》均有此書。《武經》宋本最先，故《百部叢書集成》據以影印，並附《平津》本逸文於後；《漸西》係汪宗沂輯本，別名《太公兵法》，仍入《漸西村舍叢刊》中。這是因爲輯者和書名不同因而兩書並存。《叢書集成初編》列目未刻，目祇列《武經》一本。

《孫子》三卷，所選百部叢書中，《武經七書》宋本，無注；《平津館叢書》係魏武注本。故《百部叢書集成》兩存之。這是古本與注本兩存。《叢書集成初編》僅收《平津》一本。

四、訂譌正誤，刪重補闕

藝文印書館重編《百部叢書集成》，做了大量的細緻的整理工作，初步歸納，至少包括以下十個方面：一曰改影印，二曰補缺書，三曰換底本，四曰述原委，五曰訂書名，六曰考作者，七曰核卷次，八曰辨僞作，九曰刪複出，十曰存剩本。影印、補缺、更換底本三者已詳上文，玆不復述。自第四事（述原委）以下七項，統屬「訂譌正誤，刪重補闕」的範圍，現在即以此題，分項舉例於下：

(一) 述原委

主要敍述有關書籍的版本來源。卷帙、內容的異同差別以及取捨緣由等亦附及之。例如《揮麈錄》一書，有二卷和二十卷本兩種，或題楊萬里撰，或題王明清撰。所選百部叢書中有六部叢書收有此書。《百部叢書集成》在《學津討原》叢書《揮麈錄》目錄中除了確指此二十卷本爲王明清撰以外，還在目錄的「說明」中扼要敍述了此書版本的原委：「所選百部叢書中，《百川學海》《歷代小史》《津逮秘書》《唐宋叢書》《學海類編》均有此書，《唐宋》係摘鈔本，《百川》本二卷作楊萬里編，《歷代》《學海》翻刻《百川》；《津逮》《學津》皆二十卷。案楊氏與王明清爲同時人，楊氏所編《揮麈錄》爲最早之書，故與二十卷本兩存之，二卷本《百川》最早，故據以影印入《百川學海》中。二十卷本《學津》校刻清晰，故據以影印。」這類卷帙多寡不同，作者題名互異，收錄的叢書又涉及多種的複雜情況，編者僅僅用了百餘字就把這兩種版本系統的原委，敘述清楚。《叢書集成初編》所收二十卷本用的是《津逮》本，今《百部叢書集成》影印時，改用《學津討原》本。二卷本，《百川》最早，一仍其舊。

(二) 訂書名

《知不足齋叢書》中郭畀的《郭天錫日記》，《叢書集成初編》原題爲《客杭日記》。今《百部叢書集成》的編者考證出《客杭日記》是《雲山日記》的摘鈔本，遂以橫山草堂刻《雲山日記》全帙本代入影印，並改題爲《郭天錫日記》。

《知不足齋叢書》有《清虛雜著》三卷，其子目是《甲申雜錄》《聞見近錄》《隨手雜錄》，並有《補闕》一卷。據《百部叢書集成》編者考證說：「《學海類編》並有此書三卷，名《王氏三錄》，其中《聞見近錄》後並附《續聞見近錄》一卷，此即《知不足》本之《補闕》，凡二十六條，二十五條補《聞見近錄》，一條補《甲申雜記》，《知不足》本源出宋本，序跋完整，校刻精審，故據以影印[16]」並在目錄書名項下標明「《清虛雜著》一名《王氏三錄》」。它考證出《學海類編》中《王氏三錄》所附《續聞見近錄》「即《知不足》本之《補闕》」，考證出《王氏三錄》就是《清虛雜著》的別名，二者原爲一書，這對讀者是很有幫助的。

(三) 考作者

古書作者之名，歧誤較多，很有考證的必要。實際上這也涉及到辨僞的範圍，這裏不過僅就考辨作者一項述之，其涉及內容者，別詳下文。《學海類編》收有藝術類賞鑒之作《清閟錄》三卷。《叢書集成初編》原題作「《筠軒清閟錄》董其昌撰」，《百部叢書集成》經過考證，認爲題「董其昌撰實誤」，改題爲張應文撰。

又如《寶顏堂秘笈》《學海類編》均收有《文湖州竹派》一卷，是藝術類畫傳方面的書。《寶顏》本誤作釋蓮儒撰，《叢書集成初編》用《學海》本，作吳鎭纂。《百部叢書集成》亦用《學海》本，並考證出題釋蓮儒、吳鎭纂均誤，改題「佚名」，以符其實。避免以譌傳譌，貽誤後來。《海山仙館叢書》中的《調燮類編》四卷，《叢書集成初編》題趙希鵠撰。《百部叢書集成》「據同文先生考證」，改題「撰人不詳」。多聞闕疑，是比較客觀、比較審愼的態度。

(四) 核卷次

所選百部叢書中，《唐宋叢書》《龍威秘書》《藝海珠塵》均有馮贄《雲仙雜記》十卷。

《百部叢書集成》考證說：「《唐宋》本最早，所據祖本原缺第六卷，即以第十卷移補。《龍威》《藝海》次序相同，蓋同出一源。今據《唐宋》本影印，並依明隆慶葉氏菉竹堂刻十卷本改正第六卷爲第十卷，補菉竹堂本之序目及第六卷，以成全璧[17]」。

《東坡志林》在所選百部叢書中，《百川學海》《稗海》《龍威秘書》及《學津討原》中均有此書而卷次參差。《叢成集成初編》《稗海》《學津》兩存。《百部叢書集成》編者考證出《百川》一卷與《學津》第五卷同，《稗海》十二卷與《學津》前四卷有無互見。認爲《百川》最先，故據以影印入《百川學海》中，並補《學津》前四卷及《稗海》多出各條於後。

(五) 辨僞作

作者隱匿本名而託名前人的作品，稱爲僞書或僞作。考訂僞書的作者或著作時代稱爲辨僞。這一工作對辨明古代學術著作的眞實面貌有很大幫助。考辨僞書，是從事文獻學研究和古籍整理的一項重要基礎工作。《百部叢書集成》收書(子目)四千餘種，若須先對所有疑僞之本，全部進行考辨，然後著錄，勢所難能，但它畢竟還是做了不少辨僞工作而且是卓有成績的。例如考證出《學海類編》中項元汴《蕉窗九錄》全襲屠隆的《考槃餘事》，並託名項元汴撰者。《考槃餘事》已影印入《龍威秘書》中，故不再重印。而《叢書集成初編》收錄此書，仍著錄爲項元汴著。

再如《顧氏文房小說》的《周秦行紀》本是人所熟知的僞書，《叢書集成初編》仍著錄爲牛僧孺撰。《百部叢書集成》在目錄上作了更改——在「著作者」牛僧孺的後面加（韋瓘託名）」四字，並在「說明」中註稱：「案此書撰人係韋瓘託名，見本書翁同文跋」。並將翁同文考辨《周秦行紀》的一篇跋文，附入本書，這對讀者瞭解作僞原因和編者改題「韋瓘託名」的依據，亦有裨助。

六 刪複出

《叢書集成初編》在所收百部叢書原有六千種子目中刪汰重複者二千種，而且通過比勘，保留下最好的本子，不能不令人驚歎其工作之細緻、工程之艱巨。然而正如「校書如掃落葉」，刪複亦復如之。而且在原來質量較好的基礎上重新發現問題，就更顯得並非易事。然而《百部叢書集成》在這方面仍然取得很好的成績。

《百部叢書集成》刪去的複本，大致有這樣幾種情況：一種是已有全帙，故刪去摘鈔本，一是已有全帙，故刪去析出本；再一類已有注本，刪去白文無注本；或同書異名的已有精本，則刪去其他一般版本。今統以「刪複出」爲題，歸納敍述。

李之儀《姑溪題跋》二卷，是一部屬於碑帖考識方面的書，所選百部叢書中，《津逮秘書》《畿輔叢書》併有此書，《畿輔》覆刻《津逮》，《叢書集成初編》即用《津逮》本。《百部叢書集成》考證出此書自《姑溪居士文集》摘抄而成，《文集》已影印入《粵雅堂叢書》中，故此書不再重印。

《學海類編》中宋人吳曾的《辨誤錄》三卷，據《百部叢書集成》考證實即《能改齋漫錄》之《辨誤》一目，《能改齋漫錄》已影印入《守山閣叢書》中，故此本即不再重印；宋釋文瑩的《玉壺詩話》一卷，經考證係從《玉壺清話》摘出，《玉壺清話》十卷已刋入《知不足齋叢書》，此書亦不再重印。屠隆的《文具雅編》，經考證係從《考槃遺事》中析出，《考槃遺事》已影印入《龍威秘書》中，故此本亦不再重印。——上述《百部叢書集成》刪去《學海類編》原載的這三部摘鈔本、析出本，都是《叢書集成初編》所未曾發現的。

又《學海類編》有沈德符的《敝帚軒餘談》（一名《敝帚軒剩語》）《顧曲雜言》《秦璽始末》《飛鳧語略》等單刻本，《百部叢書集成》考證此數種皆從沈德符《野獲編》摘出，因將《野獲編》全帙三十四卷代入，上述數種不再單印。至於删去白文無注本和同書異名的劣本，比較顯而易見，就不一一舉例了。

(七) 存剩本

《學海類編》中項元汴《蕉窗九錄》，既係全襲屠隆之《考槃餘事》，《百部叢書集成》

已辨其僞，删去不錄。同時又指出「此書《畫錄》後附《畫訣》，係孔衍栻之《石村畫訣》；及《琴錄》後所附冷謙《琴聲十六法》爲百部他書所無」，故據以影印入《學海類編》之中⑱。

《百陵學山》中原有陸深《儼山纂錄》（一名《儼山外纂》）一書，其中除《中和堂隨筆》外，所引之《傳疑錄》《續停驂錄》《燕間錄》《蜀都雜鈔》等書，都已分列影印於《寶顏堂秘笈》《紀錄彙編》等叢書中，因此，《百部叢書集成》即以《中和堂隨筆》代入於《百陵學山》之中，而不再印《儼山纂錄》全本。

最後簡要談一談本書的檢索方法。上文已提到過，每部叢書之前有總目，全書有分類目錄，書名、作者索引，檢索手段已臻齊備。其中最具特色的兩項是幫助讀者：區分各書的類目和選擇最佳版本。區分各書類目以及瞭解該書整理情況，可查各部叢書前面的總目和它的「說明」；選擇版本可利用本書所附的分類目錄。

茲將孫星衍校刋《岱南閣叢書》卷首目次的書影附印於下：

百部叢書集成之四十一 岱南閣叢書

清 嘉慶 孫星衍 校刊

民國五十六年藝文印書館影印

分類總目

書名	卷數	著作者	類	目	說明
*周易集解	一七	李鼎祚輯	哲學類	易類 哲學	所選百部叢書中秘册彙函雅雨堂藏書學津討原古經解彙函津逮秘書均有此書學津本校勘精審故據以影印入學津討原中
周易口訣義	六	史徵	哲學類	易類 哲學	所選百部叢書中聚珍版叢書及古經解彙函均有此書聚珍錄自永樂大典孫星衍復加詳校刊入岱南閣叢書故據以影印
古文尚書 附逸文篇目表	一三	馬融鄭玄注 王應麟集 孫星衍補集	史地類	歷史之部 先秦史尚書	所選百部叢書中函海並有此書岱南本經孫星衍補集故據以影印
*春秋釋例	一五	杜預	史地類	歷史之部 先秦史春秋	所選百部叢書中聚珍版叢書及古經解彙函均有此書聚珍版校勘精審故據以影印入聚珍版叢書中
夏小正傳	二	孫星衍校	自然科學類	時令	所選百部叢書僅有此本
蒼頡篇	三	孫星衍輯	語文學類	文字	所選百部叢書僅有此本
急就章考異	一	孫星衍校	語文學類	文字	所選百部叢書僅有此本
*燕丹子	三	孫星衍輯	文學類	俠義小說	所選百部叢書中問經堂叢書及平津館叢書均有此書平津本較精故據以影印入平津館叢書中

每部叢書的總目，包括書名、卷數、著作者、分類總目（包括「類」和「目」）、說明五項。「類」與「目」扼要告訴讀者該書的類別、性質，說明一項內容更爲豐富，舉凡版本淵源、卷次參差、整理經過以及涉及他書的情況，異同優劣的比較，都有扼要的闡述，詳而不繁，簡而有要，對讀者瞭解該書最有幫助。

本書《分類目錄》每書之下，都注明作者和所採的叢書。一書爲數種叢書所收，祇採用其善本、足本時，用較大的字體標明；其未採用的叢書，用較小的字體分別之。如：

洛陽名園記　逸史　寶顏、津逮、顧氏、學津、海山

西京雜記　抱經　歷代、逸史、漢魏、龍威、稗海、津逮、學津

上述這種涉及多種叢書的書，如果靠自己去比較和選擇版本，不知將費多少時間和精力。現在《百部叢書集成》把鑒別的結論，用大小字體標明，使讀者一望而知，眞是指導讀者選擇版本的捷徑。

如果根據這裏提供的線索，進一步查閱有關叢書總目的「說明」，將會獲得更多的版本資料。酈道元《水經注・河水二》說：「河北有層山……懸巖之中多石室焉，室中若有積卷矣，而世士罕有津達（逮）者。」今《百部叢書集成》卷帙浩繁，蘊積至富，又給提供了這樣優良便捷的檢索手段，其津逮讀者之功，應該給予充分的評價。

（原刊《漢學硏究》第八卷第二期，一九九〇）

註釋

❶ 見《辭海》，上海辭書出版社一九七九年版。

❷ 張元濟〈刋行四部叢刋啓〉。

❸ 同註❷。

❹ 〈永樂大典嘉隆副本考略〉載《杭州大學學報》一九八九年第三期。

❺ 《儒學警悟》《兩京遺編》《秘書二十一種》《汗筠齋叢書》《澤古堂叢刻》《宜稼堂叢書》《鐵華館叢書》《五雅全書》《小學彙函》《八史經籍志》等未見缺書。

❻ 嚴可均《鐵橋漫稿》卷八〈書宋本後周書後〉。

❼ 顧廣圻《思適齋集》卷九〈韓非子識誤序〉。

❽ 陳乃乾〈與胡樸安書〉載《國學彙編》第一集。

❾ 《百部叢書集成·文選樓叢書》總目《疇人傳三編》「說明」。

❿ 葉夢得《石林燕語》卷八。

⓫ 朱弁《曲洧舊聞》卷四。

⓬ 陳振孫《直齋書錄解題》卷八。

⓭ 張之洞《輶軒語語學篇》「讀書宜求善本」條。

⓮ 《百部叢書集成》所收《岱南閣叢書》較《中國叢書綜錄》所收清乾嘉間蘭陵孫氏刋本和清嘉慶蘭陵孫氏沇州刋本多李鼎祚《周易集解》、桓寬《鹽鐵論》、張敦仁《輯古算經細草》《求一算術》四種，殆爲另一足本。

⓯ 《百部叢書集成·抱經堂叢書》總目《荀子》條「說明」。

⑯《百部叢書集成·知不足齋叢書》總目《清虛雜著》條「說明」。

⑰《百部叢書集成·唐宋叢書》總目《雲仙雜記》條「說明」。

⑱《百部叢書集成·學海類編》總目《蕉窗九錄》條「說明」。

國立中央圖書館出版品預行編目資料

中國文獻學新探／洪湛侯著.--初版.--臺北市：臺灣學生，民81

面；　公分.--(文獻學叢刊：3)

參考書目：面

ISBN 957-15-0394-0 (精裝).--ISBN 957-15-0395-9 (平裝)

1.圖書學-論文，講詞等

011.07　　81002732

中國文獻學新探（全一冊）

著作者：洪湛侯
出版者：臺灣學生書局
發行人：丁文治
發行所：臺灣學生書局
台北市和平東路一段一九八號
郵政劃撥帳號〇〇〇二四六六八號
電話：三六三四一五六
FAX：三六三六三三四
本書局登記證字號：行政院新聞局局版臺業字第一一〇〇號
印刷所：淵明印刷廠
地址：永和市成功路一段43巷五號
電話：九二八七一四五
香港總經銷：藝文圖書公司
地址：九龍偉業街九十九號連順大廈五字樓及七字樓
電話：七九五九五九五
定價　精裝新臺幣二四〇元　平裝新臺幣一八〇元
中華民國八十一年九月初版

01106

ISBN 957-15-0394-0 (精裝)
ISBN 957-15-0395-9 (平裝)

文獻學叢刊

①明代考據學研究	林 慶 彰 著
②古籍辨僞學	鄭 良 樹 著
③中國文獻學新探	洪 湛 侯 著